Les mystères de Boston

JESSICA SUTTON

Les mystères de Boston

COLLECTION GRANDS ROMANS

Cet ouvrage a été publié en langue anglaise
sous le titre :
BEL AIR GENERAL
Published by
Ballantine Books

1.

L'hôpital de Boston domine le port et Quincy Market ; le Dr Berkovitz contempla rêveusement cette vue imprenable sur une des grandes villes les plus dynamiques des Etats-Unis. Le soleil couchant offrait une vision presque dramatique de cette gigantesque cité face à l'océan. Il ne parvenait pas à se décider à décrocher son téléphone... Jamais encore il n'avait eu à faire face à une si étrange affaire. Pourtant ce n'était pas la première fois qu'il devait faire admettre au Boston Harbour Hospital un malade célèbre, qui offrait de curieux symptômes et qu'il fallait à tout prix cacher à la presse... Mais aujourd'hui, il savait que rien ne serait aussi simple.

On ne songe pas d'habitude à visiter l'Amérique

par Boston, et l'on a tort. Le deuxième port de la côte Est, qui vit comme New York arriver les immigrants, est une ville plus romanesque qu'on ne le pense. Il y a aussi les mystères de Boston ! Mais ici il faut apprivoiser la cité pour les entrevoir, il faut l'aimer. Le *skyline* n'est pas le plus spectaculaire de l'Amérique, mais depuis les grandes baies vitrées du Boston Harbour Hospital, il a l'immense avantage de pouvoir être saisi dans son entier. En face, on aperçoit l'aéroport de Logan entièrement bâti sur la mer. C'est là qu'atterrirait bientôt l'avion privé du Colonel James avec à son bord le malade incognito qui bénéficiait de la protection très rapprochée des plus éminents agents secrets de la CIA.

Une vedette-navette de l'hôpital, celle que l'on réservait aux patients de marque, le fera accoster en moins de dix minutes au pied du gratte-ciel qui abritait des services hospitaliers ultra sophistiqués chargés de recevoir des célébrités du monde entier. On avait construit un de ces pontons métalliques où, à Boston, se joue l'avenir de la cité dans le quartier des affaires. Il n'était pas rare de rencontrer, jaillissant comme de jeunes tigres de leurs hors-bord, des *Golden Boys* qui vivaient à plus de cent à l'heure entre Manhattan et Boston. Cette ville est un peu le cerveau de l'Amérique, et dans quelques jours, songea le Dr Berkovitz, elle deviendrait la ville la plus secrète du monde...

« Je dois les prévenir, sans les effrayer, sans leur dire quoi que ce soit qui puisse leur mettre la puce à l'oreille ! ». Mission impossible ! Il pouvait déjà voir les yeux verts vifs et intelligents de Jenny Corban s'assombrir légèrement, virer au vert marine, signe chez elle qu'elle venait de comprendre un mystère ! Rien ne lui échappait. Soudain il s'aperçut que la nuit venait de tomber. La ville scintillait sur les eaux noires. Il devait téléphoner... Il lui sembla que Boston venait de s'illuminer d'un seul coup, comme par magie, pour fêter l'arrivée de l'inconnu.

Au téléphone, Jenny Corban fit une grimace. Un coup de téléphone à cette heure tardive ne présageait rien de bon, une urgence, un problème... Elle avait l'impression d'être sur le point d'avoir à renoncer à tout repos, et pour longtemps...

Le Dr Berkovitz l'appelait pour lui demander l'admission de Rafael, un de ses malades, au Boston Harbour Hospital.

Mais qui était ce Rafael ? Son interlocuteur ne tenait pas à lui donner davantage de précisions. Elle devait lui trouver une chambre très isolée, une infirmière de confiance détachée spécialement à son unique service. On lui demandait même de ne pas inscrire immédiatement sur le registre de l'hôpital l'entrée de cet étrange patient. « Encore une tête couronnée qui ne tient pas à faire savoir qu'elle est malade, ou une star du show-business », songea Jenny.

Elle n'eut aucune peine à s'imaginer celui qu'elle devait accueillir avec la plus grande discrétion, d'après la description que lui en fit le docteur. Une crinière blonde, des prunelles d'un bleu intense, des lèvres sensuelles un peu boudeuses... et une solide musculature. Rafael ! Un seul prénom mystérieux, une escorte digne des plus hauts personnages de l'Etat, une arrivée rocambolesque, la nuit, à Boston, comme si l'on craignait qu'il ne fût reconnu par la foule... L'inconnu probablement ne pouvait jamais faire trois pas sans être aussitôt entouré d'une foule de fans et de paparazzi.

— Je vous préviens, Jenny ; si son identité venait à être découverte et divulguée, nous aurions tous de gros ennuis !

— Je suis désolée, docteur Berkovitz, fit-elle à voix haute. Mais notre hôpital n'est pas prévu pour accueillir des... euh, des fantômes !

Berkovitz éclata d'un rire presque menaçant tellement il semblait forcé.

— Au contraire ! Au Boston Harbour Hospital, vous recevez les gens riches et célèbres !... Tous ceux qui ont besoin d'être soignés incognito.

— En effet, mais nous connaissons leur identité et nous leur garantissons l'anonymat ! Cet hôpital n'est pas un bal masqué.

8

Sa voix changea.

— De quoi souffre votre ténébreux patient ?

Elle écouta le Dr Berkovitz lui décrire les symptômes que présentait la vedette sans y comprendre grand-chose. Elle n'était pas médecin, mais assistante du directeur général.

— En réalité, Jenny, termina son interlocuteur, je ne sais pas ce qu'il a ! Il faut pratiquer des examens… Je souhaiterais que Mac s'occupe de lui. C'est un cas comme il les aime, qui demande diplomatie et secret !

Jenny soupira. Le Dr Mac MacClintock, grand patron du service médecine, était l'un des meilleurs praticiens de Boston. On lui adressait souvent des malades souffrant de troubles inconnus ou difficiles à diagnostiquer. De tels cas le passionnaient.

Jenny ne l'ignorait pas. Mais elle se rendait compte également que le Dr Berkovitz essayait de lui forcer la main en lui parlant de Mac. Elle devinait qu'il n'hésiterait pas à aller trouver directement ce dernier pour arriver à ses fins.

— Docteur Berkovitz, vous savez parfaitement où réside le problème. Nous nous efforçons d'offrir à nos malades le repos et la sécurité. Or, pour votre Rafael, ce serait…

— Ecoutez-moi ! coupa-t-il. Rafael est malade ! A aucun prix il ne faut que cela se sache.

— J'en suis persuadée, mais…

— Je voudrais qu'il soit hospitalisé au 4-A. Un avion va atterrir à Logan-Airport, il sera immédiatement conduit au Boston Harbour Hospital. De là, il suffirait qu'il prenne l'ascenseur pour monter au 4-A. Ni vu, ni connu...

Jenny pinça les lèvres. Le quatrième étage de l'aile sud, que les initiés appelaient le 4-A, était l'endroit le mieux protégé de l'hôpital. Au cours des ans y avaient défilé dans le plus grand secret des personnalités de toutes sortes : diplomates, politiciens — jusqu'à un président des Etats-Unis —, chanteurs, stars... En ce moment, on y trouvait un prince d'Arabie Saoudite souffrant d'une maladie encore inconnue, une célèbre actrice à qui on venait de rendre une taille de guêpe, et un agent secret gouvernemental qui se remettait d'une délicate opération cardiaque. Jenny était personnellement responsable du 4-A. Et elle se voyait mal assurant, en plus de celle des autres, la sécurité de ce mystérieux Rafael.

— Docteur Berkovitz, je crains que vous ne compreniez pas très bien la situation..., commença-t-elle.

Elle s'interrompit. Brian Hecht, le directeur général de l'hôpital, venait d'apparaître à la porte. Tous les soirs, il passait dans le bureau de la jeune femme avant d'aller prendre son dîner en compagnie de Laura Carlyle, la présidente du Boston Harbour Hospital.

Jenny lui fit signe d'attendre.

— Un instant, s'il vous plaît, docteur Berkovitz, fit-elle avant de mettre sa main sur l'écouteur.

En quelques mots, elle résuma la situation à Brian.

— Y a-t-il de la place au 4-A ? demanda ce dernier après un instant de réflexion.

— La suite est occupée. Mais le 410 est libre… malheureusement ! soupira-t-elle. Vous savez qui est Rafael ?

— Non…

Sa réponse évasive troubla la jeune femme. Elle crut comprendre que Brian tenait à lui cacher ce qu'il savait. Il n'avait pas eu l'air surpris de la nouvelle… Comme s'il s'y était attendu ! Il reprit d'un ton détaché :

— C'est pour des gens comme lui que cet hôpital a été créé, Jenny.

Il sourit.

— Les infirmières seront ravies ! On m'a dit qu'il était très bel homme…

— Justement ! Si ce Rafael attire les gens comme… comme…

Elle chercha une métaphore mais n'en trouva pas.

— … comme une star, termina-t-elle en haussant les épaules. Nous avons déjà le prince arabe, l'agent secret, le chanteur Curt Cramer et…

— Et paraît-il l'ex-femme du mystérieux Rafael, ajouta Brian. Leur divorce a fait assez de bruit ! Souvenez-vous ! Il doit s'agir de ce jeune acteur de cinéma mystérieusement disparu en Bolivie après son divorce avec Dawn Appelton... Rafael Marcus, je pense...

— Seigneur ! Mais il faudrait pouvoir assurer à ce Rafael une sécurité et une mise au secret sans faille !

Brian tendit la main vers le téléphone.

— Passez-le-moi...

— Volontiers !

Elle se leva, lui laissant son fauteuil.

— Docteur Berkovitz ? Ici Brian Hecht... Oui, je vais très bien, merci. Ecoutez, nous pouvons admettre Rafael, mais sous certaines conditions.

Jenny l'entendit expliquer que la suite du 4-A était déjà occupée et que seul le 410 demeurait vacant.

Brian continuait à discuter mais Jenny ne l'écoutait plus que d'une oreille distraite. Elle prêtait surtout attention à la manière dont il parlait. Il avait l'art de se montrer la fois courtois et chaleureux tout en restant ferme. Jamais il n'élevait la voix, jamais il ne donnait d'ordres. Cependant ses interlocuteurs savaient exactement à quoi s'en tenir.

« Il a un don », songea-t-elle.

12

Elle travaillait au Boston Harbour Hospital depuis un an et son admiration pour lui ne cessait de croître. Diriger cet hôpital qui ne ressemblait à aucun autre, traiter avec des malades capricieux, exigeants et difficiles, ce n'était pas de tout repos ! D'autres se seraient impatientés. Mais quelles que soient les circonstances, Brian réussissait à garder le sourire sans se départir de son calme.

C'est lui qui, malgré certaines oppositions, l'avait nommée responsable de la sécurité. Si par hasard elle commettait une erreur, il ne manquait pas de le lui signaler. Mais ses critiques étaient toujours constructives, et il ne serait pas venu à l'idée de Jenny de les prendre pour un blâme.

— Nous serons obligés de limiter le nombre des visiteurs admis auprès de Rafael, poursuivit Brian Hecht. Pas question de laisser la foule envahir le 4-A...

Une fois de plus, Jenny se dit que le directeur général du Boston Harbour Hospital était le plus bel homme qu'elle ait jamais vu. Brun, grand — au moins un mètre quatre-vingt-dix —, mince, sportif... Il allait tous les jours à la piscine et jouait régulièrement au tennis, ce qui lui valait de rester bronzé hiver comme été. Quelques fils blancs striaient déjà ses tempes. Il était difficile de lui donner un âge. Garçon de vingt-cinq ans déjà mûr, ou bien homme de cinquante ans à l'allure très

13

jeune ? Poussée par la curiosité, Jenny avait consulté les dossiers et avait appris qu'il avait quarante-deux ans.

Il continuait à discuter avec le Dr Berkovitz.

— Il faudra vraiment qu'*elle* vienne lui rendre visite ?

Oh oui, il était séduisant ! Des yeux noisette au regard chaleureux, des sourcils épais, une bouche ferme, un menton volontaire...

« Arrête ! » se dit Jenny, fâchée contre elle-même.

Elle s'obligea à se détourner, luttant contre son attirance pour Brian Hecht. Elle ne devait pas songer à lui... Car il était marié. Et sa femme, Roberta, la petite-fille de Laura Carlyle, avait tout pour elle. Elle était belle, elle était riche, elle était...

— Très bien, docteur. Un instant, je vous prie : je vous repasse Jenny.

Avant de confier le combiné à la jeune femme, il lui donna quelques instructions à mi-voix :

— Arrangez-vous pour réduire le nombre des visiteurs au minimum. Je crains cependant qu'il ne faille placer en tête de liste Krystal Shannon...

Jenny était de plus en plus étonnée. Ce personnage incognito devrait recevoir malgré tout Krystal Shannon ?

— Krystal Shannon ! Celle qu'on appelle la *Nouvelle Marilyn* ?

Sans enthousiasme, elle s'empara du téléphone.

— Vous allez voir Mme Carlyle? demanda-t-elle à Brian avant de reprendre la ligne.

— Oui. J'espère que vous n'aurez pas d'ennuis et que vous ne serez pas obligée de me téléphoner là-haut.

— Ce Rafael va nous rendre la vie impossible!

— Oh, je vous fais confiance!

Il fit demi-tour. Elle l'arrêta en posant sa main sur son bras et, en souriant, expédia d'une pichenette le fil qu'il avait sur l'épaule. Il lui adressa un coup d'œil surpris avant de quitter le bureau.

Déjà, la jeune femme reprenait la discussion avec le Dr Berkovitz.

— Krystal Shannon au Boston Harbour Hospital en visite auprès d'un malade ultra secret! soupira-t-elle. Vous imaginez les problèmes? On ne peut pas passer devant un kiosque sans voir sa photo en couverture d'une bonne demi-douzaine de magazines. Souvent en bonne compagnie, d'ailleurs! Si elle vient à l'hôpital, tout le monde saura le lendemain qui est ce Rafael malade!

— Elle peut passer par le parking.

— Comprendra-t-elle qu'il est préférable d'éviter l'entrée principale?

— Ne vous inquiétez pas, je vais lui parler.

Brian se dirigea vers l'ascenseur privé qui menait

à la tour Carlyle, située au sommet des bâtiments du Boston Harbour Hospital. C'était là qu'habitait Laura Carlyle, la présidente de l'hôpital.

Presque chaque soir Brian prenait son dîner avec elle, tout en discutant affaires.

Il ne parvenait pas à chasser Jenny Corban de ses pensées. La manière dont elle avait brossé une poussière sur son épaule... Certes, il s'agissait là d'un geste insignifiant. Cependant cela l'avait infiniment troublé. Il avait oublié que les femmes pouvaient se montrer si féminines, si tendres... Roberta avait-elle jamais prêté attention à lui de cette manière? Il ne s'en souvenait pas. Mais Roberta ne semblait plus s'apercevoir de son existence. Elle ne s'intéressait qu'au contenu de son portefeuille.

Il ouvrit la porte de l'ascenseur à l'aide de sa clé et appuya sur le dernier bouton.

Pendant la montée, il songea au contraste entre sa femme et Jenny. Roberta était brune, éblouissante, et dotée d'un tempérament de feu. Au début, elle le rendait fou... Avec elle, il oubliait tout le reste. Hélas, cela n'avait pas duré. Il n'avait pas tardé à la percer à jour. Et sous une apparence flamboyante, il avait découvert une femme vaine et futile, capable parfois de cruauté. Son mariage avec la petite-fille de Laura Carlyle s'était révélé un échec complet.

Jenny occupait de plus en plus de place dans son existence, même si leurs relations demeuraient strictement professionnelles. Si elle l'avait touché ce matin, c'était par hasard. Et pour la première fois !

Il la trouvait ravissante avec ses cheveux couleur de miel et ses grands yeux verts si expressifs. Mais ce n'était pas tout ! Grâce à Jenny, il se rendait compte que les femmes pouvaient être douces et attentives aux autres, ce qui ne les empêchait pas de faire preuve d'intelligence et d'efficacité. Il l'admirait, la respectait et savait pouvoir compter sur elle en toutes circonstances.

L'espace d'un instant, il l'imagina dans ses bras. Elle serait toute douceur, toute tendresse...

Les sourcils froncés, il se rappela à l'ordre à voix haute :

— Une femme t'enlève une poussière sur l'épaule et te voilà parti ! C'est une douche froide qu'il te faut, mon ami !

Et n'avait-il pas un principe ? Celui de ne jamais mêler vie professionnelle et vie privée ?

Les portes de l'ascenseur coulissèrent. Elles donnaient directement sur l'entrée de l'appartement. Rosella, une Noire d'une cinquantaine d'années, l'accueillit en souriant. Elle était toute dévouée à Laura Carlyle et cette dernière la traitait plus en confidente et amie qu'en dame de compagnie et secrétaire.

— Bonsoir, Rosella !

— Bonsoir, monsieur Hecht.

— Quand m'appellerez-vous par mon prénom ?

Le sourire de Rosella s'agrandit.

— Je n'y arriverai jamais, monsieur Hecht. Entrez donc, Madame vous attend.

La tour Carlyle — « un vrai nid d'amour », chuchotait-on autrefois dans les couloirs du Boston Harbour Hospital — avait été construite dans les années cinquante par Oliver Carlyle à l'intention de sa seconde femme, Laura, une infirmière.

Des fenêtres, on avait une très belle vue sur les jardins, les courts de tennis et la piscine. Un peu plus loin, on apercevait les pelouses impeccables du terrain de golf et, à distance, le port de Boston.

L'appartement, décoré dans des tons de bleu et de vert, ressemblait à Laura. Il évoquait le bon goût, la sérénité, le raffinement... Rien de pompeux. Même le Renoir et le secrétaire Louis XV semblaient à leur place. La seule note un peu ostentatoire était donnée par l'imposant portrait du Dr Oliver Carlyle suspendu au-dessus de la cheminée. Laura avait perdu son mari depuis maintenant vingt ans mais continuait à chérir sa mémoire.

Quand Brian pénétra dans la vaste salle à manger, Laura arrosait les fleurs du balcon à l'aide d'un petit arrosoir. Elle portait un tailleur Chanel en soie gris-bleu. Jamais il ne l'avait vue en négligé.

18

— Brian! s'exclama-t-elle. Bonjour... Quelle belle soirée, n'est-ce pas?

— Il fait toujours beau à Boston!

Ils s'embrassèrent amicalement sur la joue.

— Comment va ma petite-fille aujourd'hui? interrogea Laura.

Brian réussit à garder son sourire. Laura Carlyle était loin de se douter qu'à cause d'elle, il n'osait pas demander le divorce!

— Elle va bien, assura-t-il.

Laura eut un geste impatient.

— Je m'en doute! Vous pourriez cependant me parler un peu d'elle...

Il aurait pu lui dire que Roberta était rentrée très tard la nuit dernière. Bien longtemps après qu'il se fut lui-même retiré dans sa propre chambre. Car ils faisaient maintenant chambre à part. Mais il se voyait mal discutant d'un tel sujet avec Laura.

— Vous êtes tous les mêmes, vous, les hommes! plaisanta-t-elle. Vous ne comprenez rien aux femmes...

Brian revit Jenny lui effleurer l'épaule. S'efforçant de la chasser de son esprit, il s'installa en face de Laura. Elle le servit elle-même. Au menu de ce soir: spaghettis aux écrevisses, et un miroir au chocolat amer. Tous les repas que l'on servait chez Laura Carlyle venaient des cuisines de l'hôpital, où officiait un chef réputé. Cela permettait à Laura de surveiller les menus des malades. L'on mangeait bien au Boston Harbour Hospital. Aussi bien et peut-être même mieux que dans les meilleurs restaurants internationaux. Le prix de la journée était établi en conséquence...

Rosella s'assit avec eux et remplit les coupes de champagne.

— Un peu trop tiède..., se plaignit Laura.

— Je transmettrai une petite note, promit-elle.

Brian savait que la note rédigée par Rosella atterrirait dans moins d'une heure sur le bureau du diététicien, qui irait aussitôt se plaindre au cuisinier... et le sommelier aurait droit à une sévère algarade.

Rien n'échappait à l'œil acéré de Laura Carlyle, et si elle faisait peu de commentaires, les petites notes pleuvaient. Cela n'empêchait pas le personnel de la vénérer.

Ceux qui prenaient sa courtoisie pour de la fragilité se trompaient. En réalité, c'était une tigresse. Et elle défendait l'hôpital à coups de griffes, comme un grand fauve défend son petit.

Laura surprit le sourire de Brian.

— Vous me trouvez ridicule parce que j'attache de l'importance aux moindres détails ; mon mari disait toujours que si l'on faisait attention aux petites choses, les grandes s'arrangeaient toutes seules.

— C'était un sage.

— Oui. Un sage entre les sages... Mais mangez donc pendant que c'est chaud!

Il attendit cependant qu'elle soit servie pour attaquer. Il ne se lassait pas de l'observer... Cette femme le fascinait littéralement. A soixante-dix-sept ans, elle était tout simplement merveilleuse. Pourtant, plus jeune, elle n'était que jolie. Une jolie petite brune...

Ses cheveux bruns étaient devenus d'argent. Ils encadraient un visage bien dessiné, un peu anguleux, dont les rides d'expression semblaient avoir été tracées par un artiste. Mais ce qui frappait avant tout, c'était ses yeux. D'immenses yeux d'un bleu saphir... Brian lui trouvait un charme fou et l'adorait.

— Nous avons un nouveau malade, déclara-t-il. Rafael. Le connaissez-vous?

— Le devrais-je?

— Non, et en réalité personne ne sait qui il est. Il nous arrive entouré d'un grand mystère!

En quelques mots, Brian rapporta le coup de téléphone du Dr Berkovitz.

— Oh! Encore une star, fit-elle du bout des lèvres. Je me souviens très bien de Rudolph Valentino. Et aussi de Clark Gable... Il y a toujours eu à Hollywood des archétypes de ce genre. L'Homme Américain, avec un grand H et un grand A... Ils venaient se faire soigner dans le plus grand secret.

Brian éclata de rire.

— Et maintenant, nous avons Rafael !

Au même moment, dans un des blocs opératoires, alors que la nuit avait maintenant envahi Boston, deux spécialistes conversaient avec bonne humeur.

— Greg Owen ? Le meilleur arrière que les Trojans aient jamais eu…

— Vraiment, docteur Wilkerson ? Je n'ai jamais entendu parler de lui.

— Parce que vous êtes trop jeune, mon petit. Je me souviens d'un match contre l'UCLA, je crois…

Le Dr Léon Kazinsky, chirurgien au Boston Harbour Hospital, écoutait avec stupeur le monologue du grand patron du service chirurgie, Ernest Wilkerson. Ce dernier, tout en se préparant pour l'opération, retraçait en détail la carrière de Greg Owen sur les terrains de football. Greg Owen qui, justement, l'attendait sur la table d'opération…

Selon Kazinsky, un chirurgien aurait dû se concentrer totalement avant de pénétrer en salle d'opération. Wilkerson, le grand patron, donnait de bien mauvaises habitudes à ses assistants en discourant de la sorte !

Hugh Lampton, l'un des deux internes, l'écoutait avec révérence et, dès que la conversation tombait, s'empressait de la relancer par quelques questions.

Heureusement, la petite Kimberly Chung demeurait silencieuse...

Kazinsky était tellement grand qu'il devait se courber en deux devant le lavabo pour se laver les mains. Avec son visage de Slave taillé à la hache, ses cheveux ternes et ses yeux noisette, il n'avait rien de spécialement séduisant et s'étonnait toujours quand une femme s'intéressait à lui.

Mais pour l'instant, il ne songeait qu'à l'appendicectomie qu'il allait pratiquer dans la salle d'opération voisine de celle où Wilkerson opérerait Greg Owen d'une banale hernie hiatale. Quand le grand patron quitta la pièce, il s'en aperçut à peine.

— Docteur Kazinsky, avez-vous un instant?

Il abaissa son regard sur Kimberly Chung, l'interne d'origine asiatique qui voulait se spécialiser en pédiatrie.

— Naturellement, assura-t-il.

— Connaissez-vous Greg Owen?

— Non. A part ce que je viens d'entendre... Il était footballeur, apparemment.

— J'étais de garde hier et j'ai procédé à son admission.

— Ah oui? fit Kazinsky poliment.

— Greg Owen a presque cinquante ans. Il n'est pas très en forme! Trop gros, trop...

Kazinsky eut un geste agacé.

— Cela ne me regarde pas. Cet homme va se faire opérer par le Dr Wilkerson et...

— Je vous en prie, écoutez-moi! supplia-t-elle. Il faut tout de même que quelqu'un m'écoute!

Il vit de l'inquiétude, presque de la frayeur dans ses yeux noirs.

— Allez-y! soupira-t-il.

— Voyez-vous, l'ennui, c'est que Greg Owen s'imagine toujours être un athlète. Jogging, natation, squash, tennis, golf, etc... Vous comprenez où je veux en venir?

— Il en fait trop?

— Il a reconnu avoir ressenti de temps en temps des douleurs dans la poitrine, mais il met cela sur le compte de sa hernie hiatale...

— Vous croyez qu'il souffre de troubles cardiovasculaires?

Elle hocha la tête.

— Je le crains.

— Avez-vous prescrit un électrocardiogramme? Elle soupira.

— J'en avais l'intention, mais le Dr Wilkerson m'a dit que c'était inutile. Il connaît Greg Owen depuis plus de vingt ans et, selon lui, son cœur est en parfait état.

— Je vois..., murmura Kazinsky.

L'attitude de Wilkerson ne l'étonnait guère. Le grand patron du service chirurgie avait tendance à tout savoir et à se prendre pour Dieu le père...

— Il... il fallait absolument que je me confie à

quelqu'un, balbutia Kimberly Chung. Si... s'il arrive quelque chose, je ne veux pas que l'on m'accuse !

— Ne craignez rien. Allez vite ! On vous attend au bloc opératoire. Je vais voir ce que je peux faire.

— Merci, docteur.

Il la suivit des yeux, les sourcils froncés, avant de se courber à nouveau devant le lavabo pour rincer ses mains et ses avant-bras.

Elle avait raison de s'inquiéter. Car si Greg Owen était cardiaque, il risquait sa vie sur la table d'opération. Aucun chirurgien n'accepterait de prendre un tel risque. D'autant plus qu'il était si facile de pratiquer un électrocardiogramme...

Ernest Wilkerson avait soixante-cinq ans. Cet homme corpulent au front dégarni s'intéressait maintenant beaucoup plus à ses performances sur les terrains de golf qu'aux recherches médicales de pointe... Soit, il était arrogant et vaniteux, mais il connaissait son métier.

Léon Kazinsky ferma le robinet à l'aide de son coude et s'essuya soigneusement les mains avec une serviette stérilisée.

Il jeta un coup d'œil à la porte du bloc opératoire où le grand patron officiait. Devait-il lui parler des craintes de Kimberly Chung ?

— Il m'enverra promener, murmura-t-il.

Soit, Greg Owen se plaignait de douleurs dans la

poitrine. Mais l'on pouvait éprouver de telles douleurs sans que le cœur soit atteint. Une fois de plus, Kazinsky se dit que son supérieur savait ce qu'il faisait. Quand la petite Kimberly Chung était allée le trouver pour lui faire part de ses inquiétudes, il n'avait eu ni la patience, ni la courtoisie de lui expliquer ses raisons pour ne pas prescrire d'électrocardiogramme avant l'opération.

Kazinsky haussa les épaules. Il avait tort de se préoccuper… L'on pouvait faire confiance à Ernest Wilkerson. Le grand patron du service chirurgie au Boston Harbour Hospital n'était pas n'importe qui.

Laura Carlyle se dit qu'elle devrait écouter plus attentivement Brian Hecht, qui évoquait certains détails financiers. Mais, malgré elle, son esprit s'évadait…

« L'âge, probablement », songea-t-elle.

Comme Brian ressemblait à son propre fils… Willard Carlyle avait pris la direction de l'hôpital après la mort de son père. Et il avait fallu qu'il soit tué peu après dans un accident d'avion…

Laura Carlyle serra les dents en se remémorant la mort de son fils unique. Il n'avait fait qu'une bêtise dans sa vie. Et de taille… Oh! Pourquoi avait-il fallu qu'il épouse cette actrice de second ordre? Laura ne pouvait pas souffrir sa belle-fille. Constance avait une tête d'oiseau et aucun talent, sinon celui d'exposer un décolleté généreux.

De ce mariage était née une fille, Roberta — la femme de Brian. En poussant à ce mariage de toutes ses forces, Laura espérait contrebalancer l'influence néfaste que Constance avait sur sa fille.

— Je n'ai pas l'impression que mes discours vous intéressent beaucoup, remarqua Brian avec un sourire.

— Excusez-moi. Je rêvassais...

A son tour, elle sourit.

— Je me demandais quand vous vous déciderez, Roberta et vous, à me donner un arrière-petit-fils. Ou une arrière-petite-fille... Ou les deux, ce qui serait encore mieux !

Ce brusque changement de sujet laissa Brian sans voix.

— Vous entendez-vous bien avec Roberta ? insista Laura.

— Aussi bien que possible, prétendit-il.

— Cela ne veut rien dire !

Elle soupira.

— Roberta n'est pas toujours commode. Sa mère l'a beaucoup trop gâtée... Mais au fond elle est pleine de bonne volonté ! Si elle avait un enfant, elle se stabiliserait. Et cela renforcerait votre entente.

Brian voulait des enfants, mais Roberta les refusait. Cela, il ne se sentait pas le droit de l'apprendre à Laura.

— Laissons faire la nature! conclut Laura Carlyle.

Après une brève pause, elle lança:

— Figurez-vous que Junior m'a téléphoné hier!

Junior Carlyle était le fils né du premier mariage d'Oliver Carlyle avec une vedette du cinéma muet. Il avait plus de soixante ans, ce qui faisait de lui presque un contemporain de sa belle-mère. Mais tous deux se détestaient. Il continuait à la considérer comme l'étrangère qui avait fait main basse sur la fortune de son père.

Pourtant, selon Brian, il n'était pas à plaindre! N'avait-il pas hérité de 39 % des actions de l'hôpital? Cela lui permettait de vivre dans l'oisiveté la plus totale en jetant l'argent par les fenêtres. A Hollywood, on le considérait comme un bon à rien et un clown.

— Que veut-il? interrogea Brian.

— Que j'organise une réunion du conseil d'administration. Cela m'inquiète...

— Pourquoi? Après tout, c'est votre beau-fils...

— Hélas!

— Et il fait partie du conseil d'administration. Il a le droit de...

D'un geste impérieux, elle leva sa main chargée de bagues.

— Il mijote quelque chose, coupa-t-elle. Je le sens!

— Laura...

— Savez-vous ce qu'il m'a dit un jour? Qu'il n'aurait pas de repos tant qu'il ne réussirait pas à m'arracher le Boston Harbour Hospital.

Clignant les yeux, elle hocha la tête.

— Nous devons rester sur nos gardes..., murmura-t-elle.

— Bien sûr... Mais au lieu de vous inquiéter au sujet de menaces imprécises, vous devriez songer à des problèmes plus immédiats. Par exemple, quand nommerez-vous quelqu'un à la direction du service des soins?

— Encore!

— Nous avons besoin d'une responsable de toutes les équipes d'infirmières!

— Je vais y réfléchir...

— Vous dites cela depuis des mois, Laura! Je comprends que vous soyez fidèle à Abby Main...

— Elle était déjà là quand je suis venue travailler au Boston Harbour Hospital comme infirmière. C'était mon amie, ma confidente... la première personne à connaître mes sentiments à l'égard d'Oliver!

— Je sais... Mais Abby Main peut rester invalide pendant des mois, peut-être des années. Il faut que quelqu'un la remplace!

— L'hôpital doit donc passer avant mes vieux amis! fit Laura avec une certaine amertume. Je vous promets que je prendrai bientôt une décision, Brian !

Son regard s'évada.

— Revenons-en aux chiffres… Vous parliez du service chirurgie, je crois ?

Elle soupira.

— J'ai fait une terrible erreur en confiant 5 % des actions à Wilkerson…

A sa mort, Oliver Carlyle avait laissé 61 % des actions à Laura, car il ne voulait pas voir son fils prendre le contrôle de l'hôpital. S'imaginant que 51 % lui suffisaient largement pour garder la présidence du Boston Harbour Hospital, Laura avait partagé 10 % de ses actions à égalité entre le grand patron du service chirurgie et le grand patron du service médecine. Ces derniers, sans toutefois en avoir la nue-propriété, en recevaient les dividendes et bénéficiaient d'un droit de vote correspondant.

Plus tard, quand son fils Willard était devenu directeur général, elle lui avait donné 10 % de ses propres actions. Mais Constance avait hérité de ces 10 % à la mort de Willard, ce qui laissait maintenant Laura avec seulement 41 %. Son titre de présidente dépendait donc des votes de Mac Mac-Clintock, grand patron du service médecine, et d'Ernest Wilkerson, grand patron du service chirurgie.

— Il faudrait trouver un moyen pour que Wilkerson donne sa démission..., fit-elle à mi-voix. Autrefois, c'était un excellent chirurgien. Mais les années passent...

— Comment le persuader de prendre sa retraite? Il devrait se rendre compte lui-même qu'il n'est plus aussi habile qu'autrefois...

— Je voudrais nommer Kazinsky à sa place. Il est jeune, sérieux, intelligent... Et quel chirurgien!

Kimberly Chung détestait le bloc opératoire. Jamais elle ne serait chirurgien. Elle voulait se spécialiser en pédiatrie.

Mais les hasards du service avaient voulu qu'elle assiste le Dr Wilkerson en compagnie d'un autre interne, Hugh Lampton. Assister? A vrai dire, elle n'avait rien à faire, sinon attendre et regarder. Et espérer ainsi apprendre quelque chose.

Avant de commencer ses études de médecine, elle s'était fait une tout autre idée du rôle du chirurgien. Elle le voyait nimbé d'une espèce de gloire... En réalité, ils semblaient tellement blasés! L'attitude de Wilkerson et de Lampton la choquait. Tous deux, penchés sur la table d'opération, continuaient à parler football!

Ils discutaient avec chaleur les mérites d'un gardien de but quand le cœur de Greg Owen s'arrêta de battre.

Aussitôt, ce fut l'affolement... Wilkerson jeta

des ordres à tort et à travers. Hélas, tous les efforts entrepris pour sauver Owen se révélèrent sans effet.

Alors Wilkerson commença à insulter l'anesthésiste, un jeune Noir que tout le corps médical du Boston Harbour Hospital tenait en haute estime.

— Espèce d'imbécile, que lui avez-vous donné ?

— Comme d'habitude. D'abord du Demerol, puis du Pentothal et...

— Mais vous auriez pu faire attention ! tempêta Wilkerson. C'est de votre faute ! Sale nègre, si vous croyez que vous allez vous en tirer comme ça !

Wilkerson ôta son masque et se mit à jurer. L'anesthésiste semblait pétrifié.

— Je ne comprends pas ! s'exclama-t-il enfin. Je vous assure que j'ai procédé exactement comme...

— Imbécile ! Vous allez voir ! Je...

— Ce n'est pas de ma faute, docteur ! protesta le jeune homme. Moi, je n'y suis pour rien ! Qui sait ? Peut-être avait-il des problèmes cardiaques et...

Wilkerson s'aperçut alors que Kimberly Chung le regardait. Il lut l'accusation dans ses yeux. Et aussi la peur et la colère impuissante. Lui tournant le dos, il quitta la salle d'opération.

Un avion venait d'atterrir sur le Logan-Airport. Discrètement, une escouade de policiers en civil encerclèrent la piste afin de repousser les rares

curieux. Une ambulance blindée, aux vitres teintées, attendait l'avion. La capitale du Massachu-
setts avait toujours su, par le passé, garder les plus
noirs secrets... Le Colonel James en était persuadé !

2.

Cette Cadillac noire aux vitres teintées, conduite par un chauffeur en livrée, ne différait en rien, à première vue, des centaines d'autres limousines qui circulaient dans les rues de Boston.

Mais elle appartenait au Boston Harbour Hospital. A son volant se tenait un garde de sécurité, l'arrière avait été équipé en ambulance, et une sirène pouvait même être actionnée en cas d'urgence. Au dernier moment, par mesure de sécurité, on avait décidé de ne pas emprunter la vedette, mais de rejoindre l'hôpital
par le dédale d'autoroutes qui partaient de l'aéroport pour s'élancer à la conquête des gratte-ciel de Boston. Le Colonel James était un homme très prudent!

Pour Rafael, il n'était pas nécessaire de faire

hurler les sirènes. S'il se sentait épuisé, il était encore capable de marcher. Il avait pris place à l'arrière du véhicule, entre Krystal Shannon et Larkin, son imprésario.

Le Dr Berkovitz, qui se tenait à l'avant, se retourna pour contempler les passagers.

« Ridicule ! » songea-t-il.

Ils portaient tous les trois des lunettes noires, mais Rafael demeurait aisément reconnaissable. Sans parler de Krystal ! Avec sa longue chevelure platinée et sa bouche enfantine, elle passait difficilement inaperçue.

— Comment te sens-tu, Rafael ? demanda-t-elle.

Elle avait une voix de petite fille, toujours un peu haletante. Une intonation de voix à la mode depuis Marilyn Monroe. Il s'agissait seulement d'un détail de starlette. Mais pas si facile ! Berkovitz, qui s'y était essayé, avait découvert que, pour réussir, il fallait parler tout en inspirant.

Il admirait Krystal Shannon parce qu'elle avait eu assez de patience pour s'entraîner. C'était à peu près tout ce qu'il lui trouvait d'intéressant. Il avait été très déçu en la rencontrant.

« Une caricature », se dit-il.

— Rafael, comment te sens-tu ? insista-t-elle.

Rafael semblait avoir perdu l'usage de la parole. Ils arrivaient au Boston Harbour Hospital. La Cadillac longeait les murs de l'hôpital. Ils étaient habilement dissimulés par des haies fleuries et du lierre, mais ils valaient les murs d'une prison et bien peu avaient réussi à les escalader.

La limousine s'arrêta devant une haute grille et un gardien en uniforme s'approcha. Le chauffeur lui tendit les papiers d'identité de tous ses passagers. Après les avoir contrôlés, il cocha les noms sur une liste.

— Vous pouvez entrer...

Après avoir rendu les documents, il retourna dans sa guérite et commanda l'ouverture électrique de la grille.

Berkovitz était vraiment impressionné. Le gardien avait forcément reconnu la voiture du Boston Harbour Hospital, et pourtant il avait tenu à vérifier l'identité de chacun de ses occupants ! Jenny Corban, la jeune femme en charge du service sécurité, était vraiment efficace !

Les prix astronomiques que l'on demandait ici pour la chambre la plus modeste étaient justifiés, dans un sens... L'on n'entrait pas comme dans un moulin dans cet hôpital privé. Chaque malade donnait la liste des personnes admises à le visiter et celles qui cherchaient à pénétrer sans autorisation se voyaient poliment refoulées.

La longue limousine noire emprunta l'allée qui traversait les jardins parfaitement entretenus. Elle s'arrêta devant les premiers bâtiments de l'hôpital et un employé s'approcha pour en prendre le volant et la garer. La plupart des visiteurs ignoraient qu'il s'agissait d'une mesure de précaution supplémentaire. Les voitures, avant d'être mises au parking, étaient passées au crible. Jenny avait pris cette décision après la découverte d'un « passager clandestin » dans le coffre d'un véhicule.

Un autre gardien — en blouse blanche cette fois — remit aux nouveaux venus des badges de couleur, après leur avoir demandé de signer un registre. Berkovitz savait que, selon la couleur des badges et leur forme, les visiteurs étaient autorisés à pénétrer dans telle ou telle partie de l'hôpital. Des circuits de télévision fonctionnaient en permanence et l'on pouvait repérer sans peine celui qui s'était égaré sans le vouloir. Ou volontairement... Des gardes vêtus de blanc se chargeaient alors de l'escorter là où il était réellement attendu. Tout cela avec un maximum de courtoisie.

— Je comprends... Il est si facile de se perdre dans tous ces couloirs !

Les employés portaient eux aussi des badges, avec leur photo. Si les médecins avaient accès à pratiquement tous les bâtiments, il n'en était pas de même pour les infirmières, les techniciens et les filles de salle.

Lorsqu'on avait raconté tout cela à Berkovitz,

quelques années auparavant, il avait poussé les hauts cris.

— Mais c'est une vraie prison ! Pas un hôpital !

Il n'avait pas tardé à revenir sur sa première impression. Tout était si bien organisé que, la plupart du temps, les gens ne se rendaient pas compte qu'ils étaient soumis à une surveillance constante.

Le Boston Harbour Hospital ne comptait pas plus de quatre-vingt-dix lits. A première vue, il aurait pu aisément en contenir trois fois plus. Mais ce n'était pas un hôpital comme les autres... Ici, pas question de salles communes ! Toutes les chambres étaient privées et l'on se serait cru dans un palace plutôt que dans un centre de soins.

On dirigea Rafael et sa suite vers un ascenseur. Et ils furent accueillis au quatrième étage par un interne que Berkovitz ne connaissait pas. Par contre, il se souvenait très bien de l'infirmière, Hillary George. Jamais il n'avait vu une femme aussi belle... Un charme fou, une allure sensuelle. Tout en elle était sexy. Parce qu'un peu de sang noir coulait dans ses veines ?

Elle incarnait la femme dans toute sa splendeur. Et, selon Berkovitz, Krystal Shannon avait beau recourir à tous les artifices du monde, jamais elle ne rivaliserait avec elle !

— Bonjour, docteur, dit Hillary en arborant un

sourire dévastateur. Est-ce M.Rafael que vous nous amenez?

Comme si elle ne le savait pas! Son sourire énigmatique prouvait qu'elle était au courant... Pourtant, personne ne devait apprendre l'identité de Rafael. Berkovitz avait décidé de le faire passer pour un chanteur... Ce qui n'était pas un mensonge, mais Rafael n'était-il pas l'homme aux cent visages?

« Tremble Boston, revoilà Rafael! »

— Mais oui...

Deux brancardiers s'approchèrent en poussant une civière. Elle les aida à y allonger le malade. Puis elle le recouvrit d'une couverture.

Berkovitz ne la quittait pas des yeux. Hillary devait avoir maintenant près de quarante ans, mais elle demeurait toujours aussi séduisante. Grande, élégante, sophistiquée, toujours calme... Et quelle classe! Même son uniforme d'infirmière semblait avoir été coupé par un grand couturier. Ses yeux sombres, pailletés d'or, étincelaient sur son visage cuivré.

« Elle est splendide! » songea Berkovitz. « Absolument splendide! »

Hélas, Hillary repoussait toutes les avances des médecins comme des malades et se consacrait à son fils, un petit garçon de douze ans atteint d'une grave maladie.

Berkovitz décida de tenter sa chance. Une fois de plus et sans grand espoir...

— Etes-vous libre ce soir, Hillary ?

— Mais oui, justement ! répondit-elle avec amusement. Demandez donc à Mme Berkovitz de me téléphoner si elle veut m'inviter.

Le médecin éclata de rire.

— Vous avez réponse à tout !

Il n'y avait aucun curieux sur le palier du 4-A. Comme convenu ! Un gardien surveillait les allées et venues. Une femme de service lavait le couloir. Et deux Arabes encadraient l'entrée de la suite. Ils étaient armés. Berkovitz nota immédiatement la bosse que faisait la crosse du revolver sous leur veste...

Les brancardiers transportèrent Rafael au 410. Berkovitz les suivit dans une vaste chambre dont les baies vitrées donnaient sur les jardins. Une épaisse moquette étouffait le bruit des pas. L'ameublement était celui d'un salon: tableaux, tables basses, canapés et fauteuils confortables. Jamais on ne se serait cru dans un hôpital. Mais le médecin savait que tout était prévu pour donner des soins. Le lit où l'on étendait en ce moment le mystérieux malade était doté d'un équipement médical des plus perfectionnés.

— Bonjour, docteur.

Il se retourna et se trouva face à Jenny Corban.

Vêtue d'un tailleur vert pâle impeccable, elle semblait plus calme et plus efficace que jamais...

— Bonjour, Jenny.

— Je viens de voir le Dr MacClintock. Il est auprès d'un malade mais va se libérer dès que possible.

— Parfait...

Il présenta la jeune femme à Rafael. Ce dernier s'efforça de sourire. Jenny ne parvenait pas à dissimuler son étonnement et sa curiosité.

— Bonjour, mademoiselle. Ainsi, vous êtes l'assistante du directeur général ?

— En effet...

Elle ne jugea pas utile de lui apprendre qu'elle était plus spécialement chargée de la sécurité de l'endroit.

— Je suis heureuse de vous accueillir au Boston Harbour Hospital, monsieur Rafael. J'espère que vous vous rétablirez très vite. Nous nous efforcerons de rendre votre séjour aussi agréable que possible... Même si nous ne devons jamais connaître votre identité.

— Jenny !

Berkovitz voulut rappeler à l'ordre la jeune femme. Il ne fallait pas permettre ce genre de plaisanteries...

— Voici Krystal Shannon et M. Larkin, l'imprésario de Rafael.

Ce mystérieux Rafael ne serait qu'une vedette du show-business désireuse de passer sous silence ses problèmes de santé ? Jenny était inexplicablement déçue. Son intuition féminine, et son goût prononcé pour les mystères, lui disaient qu'elle ne devait pas s'arrêter à ces présentations truquées.

A côté de Jenny, Krystal avait l'air d'une fille des rues. Le médecin ne comprenait pas pourquoi les foules portaient aux nues cette blonde vulgaire aux manières affectées.

— Par mesure de sécurité, je vous demanderai, lors de vos prochaines visites, de passer par le garage souterrain, leur dit Jenny. J'aimerais que tous les visiteurs de M.Rafael en fassent autant. Incognito oblige !

— Quelle drôle d'idée ! Et pourquoi prendre tant de précautions ? lança Krystal.

Ses lèvres trop maquillées avaient un sourire provocant. Elle ne semblait pas avoir l'habitude de recevoir des ordres. Surtout de la part d'une femme qui n'était rien dans le monde du cinéma...

Jenny ne se laissa pas impressionner.

— M.Rafael tient à ce que son séjour au Boston Harbour Hospital demeure secret. Vous êtes très connue et...

— Je comprends ! s'exclama l'actrice.

Maintenant, elle souriait. Au fond, tout cela était plutôt flatteur !

— Oui, je comprends! Si les gens me voient entrer à l'hôpital, ils devineront qui est Rafael!

— Tout juste! Voilà pourquoi je souhaite que vous passiez par le parking.

— Entendu, grommela Larkin.

Il se tourna vers Berkovitz.

— Combien de temps pensez-vous que Rafael devra rester à l'hôpital? Il doit tourner un nouveau film et chaque jour qui passe...

Il s'arrêta brusquement comme s'il venait de réaliser qu'il n'avait pas à jouer la comédie devant eux. Un long silence s'installa que le Colonel James, jusque-là très discret, rompit brièvement:

— Rafael est une vedette de cinéma! Que tout le monde se tienne à cette version. C'est vital...

— J'espère qu'il sera très vite remis sur pied, coupa le médecin qui semblait ne pas vouloir s'attarder sur la question de la mystérieuse identité du malade.

Il avait peine également à cacher son aversion pour Larkin. Ce petit homme chauve aux doigts tachés de nicotine, boudiné dans son costume trois-pièces, collait tellement à son image d'imprésario hollywoodien qu'il en était presque une caricature.

Mais il avait du talent! Après avoir lancé bon nombre de stars consacrées, il veillait maintenant à la carrière de ses deux derniers poulains. Ce n'était pas par hasard que la CIA avait fait appel à lui. On avait voulu en haut lieu trouver un imprésario crédible dans le show business. Mais qui savait que Larkin était depuis bien longtemps déjà un agent secret de la plus grande centrale de renseignements du monde ? Le docteur ne pouvait s'empêcher de l'admirer pour cela... Et c'était lui, également, qui avait poussé les deux acteurs l'un vers l'autre. Leur idylle faisait maintenant les gros titres de la presse spécialisée. Soutenus par une publicité habile, Rafael et Krystal Shannon avaient été propulsés en peu de temps au firmament. Quelle géniale *couverture* pour Rafael ! La blonde Shannon avait l'art d'accaparer les journalistes qui s'étaient empressés de faire de Rafael une star quand ils l'eurent remarqué deux ou trois fois à côté de la jeune femme.

Larkin continuait à s'inquiéter.

— Vous n'allez pas l'opérer ? Je ne veux pas de cicatrices ! A aucun prix ! Je...

Agacé, Berkovitz l'interrompit.

— Je répondrai à vos questions quand nous aurons les résultats des examens.

Mac MacClintock, le grand patron du service médecine, se trouvait en effet auprès d'une malade atteinte d'une hépatite. C'était un autre médecin qui la soignait et MacClintock n'avait en réalité rien à faire dans cette chambre...

Cependant il avait tenu à suivre l'infirmière,

45

soi-disant pour lui montrer comment régler le goutte-à-goutte — ce qu'elle savait faire mieux que quiconque. Etait-ce par souci professionnel ou seule était en cause la belle et troublante Heather Llewellyn?

Selon MacClintock, il n'existait pas — pour le moment! — de plus belle femme que Heather Llewellyn. Avec ses grands yeux gris-bleu, son teint clair, ses cheveux noirs et sa bouche faite pour donner et recevoir des baisers, elle le rendait fou.

MacClintock adorait les femmes. Il tombait à chaque instant amoureux et l'élue du moment recevait toutes ses attentions. Mais une fois qu'il avait obtenu ce qu'il désirait, ses ardeurs se refroidissaient... jusqu'à ce qu'il tombe une nouvelle fois amoureux. D'une autre!

Il posa la main sur l'épaule de la jeune fille, l'aidant à remettre la bouteille d'aplomb. Elle se tourna vers lui, quêtant son approbation. Oui, elle avait vraiment des yeux magnifiques...

Heather n'en revenait pas. Quoi, le grand patron lui-même prenait la peine de lui donner des conseils? Quel hôpital extraordinaire...

MacClintock se redressa en souriant.

— Je crois que vous avez saisi, Heather...

Toutes les femmes étaient sensibles à son charme. La jeune infirmière ne faisait pas exception. Elle demeurait bouche bée devant lui, littéralement pétrifiée d'admiration. Brun aux yeux bleus, grand, mince, MacClintock était tellement séduisant! Et il avait beaucoup d'allure!

— Avez-vous des questions à poser, Heather? interrogea-t-il.

Trop troublée pour parler, elle ne répondit pas immédiatement et il sourit de nouveau.

— N'hésitez pas! Je ne demande qu'à vous aider.

La prenant par le bras, il l'entraîna hors de la chambre de la malade et, dans le couloir, lui posa quelques questions.

— Vous êtes nouvelle ici, n'est-ce pas?

— Oui, docteur.

— L'ambiance de cet hôpital vous plaît?

— Beaucoup, assura-t-elle.

— Vous aimez votre métier?

— Enormément!

— Habitez-vous loin d'ici?

Il s'intéressait vraiment à elle. En cet instant, il était des plus sincères.

— Vous avez de si jolis yeux...

Au bout du couloir, deux infirmières les observaient. Amy Wells hocha la tête d'un air navré.

— Le voilà reparti... Il faudrait mettre cette pauvre petite en garde!

Ginger Rodgers, une rousse incendiaire, protesta avec vigueur.

— Pourquoi? C'est tellement merveilleux... tant que ça dure, tout au moins!

Amy haussa les sourcils.

— Parce que... toi aussi?

Ginger ouvrit les mains dans un geste d'impuissance.

— Ma chevelure couleur de feu le rendait... Il disait qu'il était comme fou dès qu'il me voyait.

Elle eut un petit rire.

— Jamais on ne m'avait parlé ainsi! Cela fait du bien de temps en temps.

— Oui, fit Amy dans un soupir.

Elle soupira de nouveau, plus fort.

— Tu as raison, c'est merveilleux tant que dure la passion. Mais ce qui m'agace, c'est que ce soit tellement facile pour lui...

— Et après, il t'oublie sans le moindre remords!

— Je sais.

Parodiant les paroles du médecin, Amy déclama:

— La médecine est une maîtresse exigeante! J'ai épousé l'hôpital...

— Mais je penserai toujours au don précieux que vous m'avez fait, ajouta Ginger.

— Il restera éternellement gravé dans ma mémoire.

Ginger sursauta.

— Il t'a dit cela? A toi aussi?

— A moi et à beaucoup d'autres. Nous ne

sommes pas les seules à avoir succombé au charme du beau Mac MacClintock!

Le grand patron et la petite infirmière continuaient à bavarder. La bouche entrouverte, visiblement fascinée, Heather regardait Mac avec une admiration non feinte.

— Elle ne travaille pas depuis longtemps au Boston Harbour Hospital, remarqua Ginger. Tu la connais?

— J'ai bavardé une ou deux fois avec elle. Elle est originaire du Pays de Galles. Elle est venue aux Etats-Unis pour faire une école d'infirmières et vient tout juste d'obtenir son diplôme.

— Elle a de la famille ici?

— Je n'en sais rien. Peut-être.

Amy jeta un coup d'œil à sa collègue.

— Toi, tu mijotes quelque chose, devina-t-elle.

— J'ai une idée! Tu n'aimerais pas te venger de Mac? Oh! Pas bien méchamment...

— Dis-moi vite!

Roberta Hecht ne se sentait pas très à l'aise. Cela la gênait toujours de voir sa mère ôter le haut de son bikini.

Pourtant, à plus de soixante ans, et grâce à de nombreux liftings, Constance Carlyle demeurait encore séduisante. Le chirurgien esthétique du Boston Harbour Hospital pouvait être fier de son œuvre.

Les deux femmes se trouvaient au bord de la piscine de Constance et nul ne pouvait les voir. Cela n'empêchait pas Roberta d'être embarrassée. Sa mère, à son âge, avait tort de s'exhiber ainsi. Même si ses seins demeuraient fermes et haut perchés. Une prouesse chirurgicale de plus...

Roberta préférait garder son maillot. Et dans dix minutes, elle irait se mettre à l'ombre. Trop de soleil abîmait la peau.

— Junior doit venir me voir, déclara soudain Constance. Il paraît qu'il a quelque chose d'important à me dire.

Roberta s'assit au bout de sa chaise longue et contempla sa mère d'un air critique.

— Tu vas le recevoir dans cette tenue ?

Constance éclata de rire. Un rire aigre, presque agressif.

— Pourquoi pas ? Si tu crois qu'il fera attention à moi... Tu sais bien que les femmes ne l'intéressent pas.

Son rire déplaisant résonna de nouveau.

— Mais en nous y mettant à deux, nous arriverons peut-être à changer ses goûts...

Elle eut un geste agacé.

— Allons, Roberta ! Ne sois pas si pudique ! Fais-toi bronzer un peu plus...

La jeune femme ne répondit pas. Elle ne ressemblait guère à sa mère. Constance était petite, avec des hanches larges et une poitrine imposante. Ses cheveux, qu'elle portait longs comme au temps de sa courte gloire, étaient d'un jaune canari.

« Si elle ne les teignait pas, de quelle couleur seraient-ils ? » se demanda Roberta. « Gris ou blancs ? »

Constance refusait de voir le temps passer. Elle cachait soigneusement son âge et voulait désespérément retenir sa jeunesse enfuie. Pour cela, elle était prête à supporter tous les sacrifices imaginables.

Quant à Roberta, elle était grande et mince. De courts cheveux noirs encadraient son visage ovale aux traits réguliers. Et elle avait hérité des yeux bleus pénétrants de sa grand-mère.

« Tu ressembles à ton père », lui disait souvent Constance.

Elle s'étira paresseusement.

— Junior veut enlever la présidence de l'hôpital à ta grand-mère. Je voudrais bien qu'il y réussisse ! J'applaudirai des deux mains le jour où l'on parviendra à jeter cette vieille folle en bas de son trône.

— Tu t'entends bien avec Junior, maintenant ? s'étonna Roberta.

Constance haussa les épaules.

— Nous faisons tous deux partie du conseil d'administration de l'hôpital.

— C'est vrai...

— J'aimerais que tu assistes à notre entretien.

— Moi?

— Tu peux peut-être nous aider.

Constance se remit à rire.

— Tu ne vas pas manquer une bonne occasion de causer des ennuis à ton mari!

Elle secoua la tête.

— Je n'ai pas encore compris pourquoi tu avais épousé ce type!

Roberta se leva et alla s'asseoir sous un parasol. S'il lui arrivait souvent de dire du mal de Brian, elle ne voulait pas que sa mère en fasse autant.

— Pourquoi l'as-tu épousé? insista Constance.

« Parce que je l'aimais », eut envie de répondre Roberta.

Et c'était la vérité... Dans les premiers temps de leur mariage, elle était folle de lui.

— Tu as la mémoire courte, maman! fit-elle à haute voix. Tu m'as toi-même poussée à devenir la femme de Brian. Selon toi, c'était le plus sûr moyen de voir grand-mère faire de moi son héritière.

Roberta pinça les lèvres. Loin de Brian, elle pensait tendrement à lui. Près de lui...

Mais ils se voyaient si peu, en ce moment! Ils faisaient même chambre à part. Et pourtant, elle l'aimait encore... Alors pourquoi fallait-il que de terribles scènes les opposent? Dès qu'elle le voyait, une sorte de malédiction s'emparait d'elle, elle devenait mauvaise et cruelle...

Brian l'évitait au maximum. Il ne lui adressait pratiquement plus la parole. Et chaque fois qu'elle se mettait à crier, il partait.

— Constance, mon chou, mais vous êtes di-vi-ne! Tout simplement di-vi-ne! s'écria Junior Carlyle de sa voix haut perchée.

Une femme de chambre venait de le conduire près de la piscine. Roberta réprima un frisson en le voyant. Son demi-oncle lui inspirait un sentiment de répulsion.

Lui aussi refusait de paraître son âge. Trop gras, trop mou, il avait près de soixante-dix ans mais s'habillait comme un jeune.

« Il n'a donc pas le sens du ridicule? » se demanda Roberta. « Pourquoi tient-il à exhiber la peau flasque de ses bras? Et cette perruque... »

Il cachait son crâne chauve sous une moumoute blonde bouclée. Mais personne n'était dupe... Sans cette perruque, et vêtu de manière classique, il aurait pu passer inaperçu. Hélas, c'était loin d'être le cas!

— Di-vi-ne! répéta-t-il pour la troisième fois. Et j'adore cette tenue...

Il eut un petit rire aigrelet.

— Comment faites-vous pour garder cette silhouette de jeune fille?

Loin de paraître gênée par ce flot de compliments dont la sincérité laissait à désirer, Constance semblait au contraire flattée. Quant à Junior, il avait l'air parfaitement à l'aise en face de cette sexagénaire à peine vêtue.

« Incroyable », songea Roberta.

— Vous n'avez pas dit bonjour à ma fille, remarqua Constance.

Junior n'avait pas vu Roberta. Il pivota sur lui-même et l'aperçut à l'ombre du parasol. L'espace d'un instant, la jeune femme crut voir un éclair hostile dans ses yeux. Cela ne dura pas. Il lui adressa un grand sourire, découvrant du même coup une rangée de dents à pivot jaunies.

— La nièce de mon cœur! s'exclama-t-il. Et plus jolie que jamais...

— Merci, oncle Junior, fit-elle du bout des lèvres.

Il hésita un instant avant de demander :

— Et comment va votre séduisant époux ?

Constance répondit à la place de sa fille :

— Toujours aussi irréprochable, aussi vertueux... et aussi ennuyeux !

Roberta se raidit en l'entendant parler ainsi. Elle ne se donna cependant pas la peine de protester. Sa mère se leva et vint s'asseoir à ses côtés. Elle désigna un siège à Junior qui les rejoignit à l'ombre du parasol.

— Que me vaut l'honneur de votre compagnie ? interrogea-t-elle.

54

Dans un éclat de rire sarcastique, elle ajouta :

— Vous remarquerez que j'ai dit *honneur*. Pas *plaisir*.

Junior sursauta mais réussit à sourire.

— Comme vous êtes taquine! Vous ne changerez donc jamais?

Ce dialogue attristait Roberta plus qu'il ne l'amusait. Ces deux personnages d'âge mûr ne se rendaient donc pas compte qu'ils étaient grotesques?

Junior savait-il seulement qu'il était la fable de Hollywood? Avec sa perruque et ses tenues de rocker, il faisait se retourner tout le monde sur son passage. Sans compter le reste... Car il buvait, se droguait et ne sortait qu'entouré d'une bande de minets tous plus efféminés les uns que les autres.

— Pourquoi vouliez-vous me voir, Junior? insista Constance.

Il jeta un coup d'œil gêné à Roberta.

— Pour bavarder avec une jolie femme..., déclara-t-il enfin avec un large sourire. Quel homme ne saisirait-il pas une telle occasion?

Roberta avait déjà compris que sa présence était indésirable.

— Il faut que je m'en aille. Je dois aller à...

Constance l'interrompit.

— Reste! ordonna-t-elle.

Se tournant vers Carlyle, elle ajouta d'un ton sans appel :

— Vous pouvez parler devant ma fille.

— Mais...

— Je dois partir ! assura Roberta. Je...

— Non, tu resteras, coupa Constance.

Son regard avait durci.

— C'est au sujet de l'hôpital, je présume ? lança-t-elle à l'intention de Junior.

— Oui...

Il regarda Roberta par en-dessous.

— Votre mari est toujours le directeur général du Boston Harbour Hospital ?

— Vous le savez bien ! s'exclama Constance avec agacement. Mais quelle importance ? Roberta est de notre côté. Elle est prête à tout pour nuire à cet imbécile de Brian. Et si en même temps elle peut atteindre sa grand-mère, elle ne se plaindra pas, croyez-moi !

— Bien..., soupira Carlyle. Voici de quoi il en retourne. J'ai été contacté par un groupe de financiers de Boston. Ils veulent acheter l'hôpital... Ils sont acquis à mes projets. Vous connaissez, ma chère, le désir qui m'anime : nous devons nous emparer de l'hôpital si nous voulons réussir à devenir les Maîtres de Boston !

— Pour combien ? s'enquit immédiatement Constance.

— Pour une somme é-nor-me !

— Pourquoi veulent-ils un hôpital ?

— Ce n'est pas le Boston Harbour Hospital qui les intéresse, mais le terrain... Cet emplacement vaut de l'or! Il paraît également que certains promoteurs seraient prêts à engager des fouilles sur cet emplacement...

— Ah! Ce sont des promoteurs immobiliers! Mais des fouilles, quelle drôle d'idée!

— En effet, nous devrions nous renseigner.

Roberta demeurait silencieuse. Son visage n'exprimait rien mais mille sentiments divers se disputaient en elle. La proposition de Junior Carlyle la révoltait et sa réaction la surprenait.

N'affectait-elle pas, d'ordinaire, un mépris total envers l'hôpital? Or la perspective de le voir détruit par les bulldozers la rendait malade...

— Etes-vous tenté par cette offre? demanda Constance à Carlyle.

— C'est certain.

— Si une réunion du conseil d'administration a lieu, vous voulez que je vote pour vous? devina-t-elle. Je possède 10 % des actions...

— J'aimerais en effet pouvoir compter sur votre appui.

— Je vois...

Une lueur de convoitise brilla dans les prunelles de Constance. Si l'hôpital était vendu, ses 10 % lui rapporteraient une véritable fortune. Elle attendait cela depuis si longtemps... Au cours des années, plusieurs offres de ce genre avaient été faites à Laura Carlyle mais elle les avait toujours refusées sans jamais se donner la peine de les étudier.

— Junior, vous ne savez pas compter! laissa tomber Constance avec dépit. Mes 10 % ajoutés à vos 39 % sont loin de nous donner la majorité! Cela a toujours été ainsi. Pourquoi voudriez-vous que la situation change?

— Elle peut changer, justement.

Il se pencha en avant et baissa la voix.

— Pour que nous devenions majoritaires, il suffit que Wilkerson ou MacClintock se rangent de notre côté... Et alors... A nous Boston!

3.

Boston est la ville de toutes les convoitises. Si l'on n'en finit pas de regretter dans les conversations mondaines les « théâtres burlesques » de Scollay Square, l'ancien port, chacun sait que la ville eut la chance de bénéficier de circonstances exceptionnelles. Les plus importants investisseurs des Etats-Unis étaient venus s'installer à Boston ces dernières années. Personne ne pourrait dire exactement l'importance de ce nouveau théâtre financier qu'était devenue la capitale de la côte Est des Etats-Unis... Le Boston moderne de la Finance était plus mystérieux encore que les vestiges mélancoliques du siècle dernier. Pourtant, quelques privilégiés, dont les grands actionnaires du Boston Harbour Hospital, tramaient d'étranges complots pour conquérir la cité. En rôdant dans les loges de ce

59

théâtre moderne et secret de la Finance et des affaires, vous auriez compris que l'enjeu était de devenir le *Roi de Boston*! Ne souriez pas... Les *Golden Boys* attirés par Boston n'agissaient pas pour leur propre compte ; comme une armée secrète, ils tentaient de monter une opération qui devait assurer le succès définitif de leur mystérieux commanditaire.

Mais qui voulait posséder Boston ? Et pourquoi l'hôpital était-il devenu la cible des opérations de ces derniers mois ? Autant de questions qu'un innocent visiteur dans les couloirs aseptisés de l'établissement de luxe n'aurait probablement pas supposé...

— Je veux devenir médecin !
— Mais vous l'êtes déjà, assura Léon Kazinsky.

Kimberly Chung arracha son masque. Ses yeux étaient pleins de larmes.

— Je ne suis qu'interne.

Un sanglot la secoua.

— Que deviendrai-je si je perds mon poste ici ? Mes parents ont fait tant de sacrifices pour que je réussisse. Je suis maintenant tout près du but, et...

Avec désespoir, elle s'essuya les yeux. Kazinsky crispa les poings. Lui-même était originaire d'une famille modeste et ne comprenait que trop bien la jeune fille.

60

Elle l'attendait à la sortie du bloc opératoire pour lui faire part de la mort de Greg Owen. Mais il était déjà au courant. D'ailleurs, la nouvelle avait dû se répandre comme une traînée de poudre d'un bout à l'autre de l'hôpital.

— Je... je me suis trompée, balbutia Kimberly. Ses douleurs étaient provoquées par sa hernie hiatale...

— Ce n'était pas ce que vous disiez tout à l'heure.

Elle joignit les mains.

— Oh! Je vous en supplie...

— Comme tous ceux qui ont assisté à l'opération, vous devrez écrire un rapport. Et vous serez interrogée par une commission spéciale... Vous ne pensez pas qu'il vaut mieux dire la vérité?

— Docteur Kazinsky..., commença-t-elle.

Elle avala péniblement sa salive.

— Je ne suis qu'une interne. Et le Dr Wilkerson...

— ... est le grand patron du service chirurgie, termina-t-il à sa place. Je sais!

— Il possède beaucoup plus d'expérience et de savoir que... que je n'en aurai jamais.

Kazinsky demeura silencieux. Contre Wilkerson, Kimberly Chung n'avait aucune chance. C'était sa parole contre la sienne. Et si elle faisait part de ses doutes à la commission d'enquête, Wilkerson s'arrangerait pour la démolir et il ne lui resterait plus qu'à dire adieu à la médecine.

Kazinsky soupira. Il détestait mentir. Mais dans certaines circonstances, et quand on ne trouvait pas d'autre porte de sortie...

Haussant les épaules, il s'efforça de sourire.

— Si je me souviens bien, nous avons tous les deux échangé quelques mots avant d'entrer en salle d'opération...

Elle le regarda avec inquiétude.

— Oui...

— Je crois que nous comparions les restaurants chinois de Boston...

Kimberly joignit les mains.

— Oh! Merci... Merci, docteur!

Kazinsky lui tapota l'épaule.

— Tâchez de vous consacrer seulement à la pédiatrie, mon petit, fit-il gentiment. Cela vaudra mieux.

— Mais je ne demande que cela! Je déteste être envoyée en salle d'opération!

Après l'avoir encore une fois remercié, elle s'éloigna. Kazinsky la suivit des yeux en secouant la tête. Puis la colère le submergea et, serrant les dents, il jura. Un chapelet de jurons bien sentis à l'égard du Dr Ernest Wilkerson.

Mais que pouvait-il faire? Lui aussi avait sa carrière à défendre... Et comment oublier que

Wilkerson, grand patron du service chirurgie, faisait la pluie et le beau temps à l'hôpital... et sur tout ce que Boston comptait de personnalités influentes?

Quand Wilkerson poussa la porte de son bureau, il avait déjà retrouvé tout son calme.

— Aucun problème..., murmura-t-il.

Du moins, aucun qu'il ne puisse résoudre sans peine. Bien sûr, il y avait cette petite Chinoise... Si elle osait prétendre que les douleurs ressenties par Greg Owen étaient d'origine cardiaque, il saurait la remettre à sa place. Lui était capable de faire la différence entre une maladie de cœur et une hernie hiatale... Que connaissait une jeune interne au sujet des hernies hiatales? Rien! Ce n'était pas la vie d'un malade qui pourrait entraver sa marche triomphale vers le pouvoir et le succès! Et de plus, tout était clair dans cette histoire...

Il fronça les sourcils. Un doute l'assaillait soudain. Et si elle avait raison? Si...

Hâtivement, il s'empara du dossier de Greg Owen. C'était Kimberly Chung qui s'était occupée des formalités d'entrée à l'hôpital et il avait sous les yeux son rapport complet.

En le lisant, il se massait le crâne, tout en remontant ses lunettes qui ne cessaient de tomber sur le bout de son nez. Soit, il y avait une ligne consacrée aux douleurs ressenties par le malade. Mais personne n'aurait jamais l'idée de les associer à une affection cardiaque quelconque !

Un sourire lui vint aux lèvres.

— Une banale hernie hiatale, rien d'autre ! fit-il à voix haute. Ouf !

Il lui faudrait cependant répondre de la mort de Greg Owen devant une commission d'enquête. Peut-être pourrait-il diriger cette commission lui-même ? Non, c'était impossible ! Le chirurgien en cause ne pouvait être à la fois juge et partie.

— Et si l'on nommait Kazinsky à la tête de cette commission ? s'interrogea-t-il tout haut.

Il crispa les poings. A aucun prix il n'accepterait que cet homme lui pose des questions. Il s'arrangerait pour que l'enquête soit confiée à des chirurgiens de ses amis. Ceux-ci sauraient mener l'affaire avec tout le doigté nécessaire.

Après avoir frappé un coup bref à la porte, et sans même attendre que Wilkerson le prie d'entrer, Jim Karnes, le médecin personnel de Greg Owen, fit irruption dans la pièce.

— Mais que s'est-il donc passé ? s'écria-t-il.

Karnes était l'un des meilleurs amis de Wilkerson. Ils se retrouvaient régulièrement pour jouer au golf. Leurs femmes étaient amies d'enfance, leurs enfants se connaissaient depuis toujours... Boston savait nouer de telles amitiés durables et nécessaires dans la vie d'un homme de pouvoir. S'il y avait au monde quelqu'un sur qui Wilkerson pouvait compter, c'était bien Jim Karnes!

Il prit une profonde inspiration.

— Hélas, nous l'avons perdu, Jim, fit-il avec gravité.

Il secoua tristement la tête, espérant calmer son ami en manifestant un maximum de calme et de dignité.

— Je le sais! s'exclama Jim Karnes avec impatience.

Il fit mine de s'arracher les cheveux.

— Mais comment? Pourquoi? Que s'est-il passé?

Wilkerson l'examina sans mot dire. Il l'avait rarement vu aussi agité.

— Nous allons rechercher les causes de sa mort, bien entendu, déclara-t-il enfin. Apparemment, il n'a pas supporté l'administration du Pentothal. Pendant une demi-heure, nous avons essayé de le ranimer. En vain...

— L'anesthésiste aurait commis une erreur?

— Cela m'étonnerait. C'est un excellent spécialiste.

Il secoua la tête d'un air accablé, sans quitter Jim Karnes des yeux.

— Avait-il des ennuis cardiaques? interrogea-t-il.

— Non.

— De toute manière, vous me l'auriez dit si cela avait été le cas...

— Naturellement.

— S'est-il jamais plaint de douleurs dans la poitrine ?

— Sa hernie hiatale...

— Rien d'autre ?

— Non.

— Aucun symptôme de troubles cardio-vasculaires ? insista Wilkerson. Vous n'avez jamais songé à lui prescrire un électrocardiogramme ?

— Il n'y avait aucune raison pour cela.

Cette discussion avait aidé Jim Karnes à retrouver son calme.

— Sa famille attend en bas. Il faut que j'aille les voir...

— Je vous rejoindrai dans un instant.

— Nous faisons une partie de golf jeudi ?

— Pourquoi changer nos bonnes habitudes ?

Après le départ de Jim Karnes, Wilkerson reçut un coup de téléphone de Brian Hecht. Puis ce fut au tour de Laura Carlyle de l'appeler..

— Oui, oui, c'est terrible ! Depuis tant d'années que je pratique la chirurgie au Boston Harbour Hospital... Jamais je n'ai perdu un malade sur la table d'opération... Bien sûr, je ne parle pas de ceux pour lesquels il n'y a pratiquement plus d'espoir... Mais Greg Owen était un homme en pleine forme, l'image de la santé... Les causes de sa mort? L'autopsie nous les apprendra... Je me demande s'il ne présentait pas de troubles cardio-vasculaires mineurs, non détectés encore... Je viens justement de voir le Dr Karnes, son médecin personnel. Ce dernier m'a assuré que jamais son patient ne s'était plaint du cœur.

Des doigts légers encerclèrent son poignet. Alors Rafael souleva les paupières et fronça les sourcils en se demandant où il se trouvait.

Une infirmière lui prenait le pouls. Il plongea son regard bleu turquoise dans le sien.

— Je le savais bien! Dieu est noir..., murmura-t-il.

Hillary George laissa passer dix secondes avant de lui lâcher le poignet.

— Dieu est noir? répéta-t-elle. Que voulez-vous dire?

— Je suis mort et je viens d'arriver au ciel. Vous êtes le plus joli des anges que j'aie jamais vus...

Elle sourit.

— Un ange, maintenant! C'est le meilleur bon mot de la semaine...

— Je ne fais pas de bons mots! protesta-t-il. Je dis ce que je pense... Dites-moi, où sommes-nous? Sur un plateau de cinéma?

— Hélas non. Vous êtes au...

— Je sais où je suis et ce que je dois dire! coupa-t-il. Pour quels studios travaillez-vous?

Elle ne put s'empêcher de rire tout en trouvant étrange que cet homme puisse préciser qu'il savait ce qu'*il devait dire*.

— Pour les studios du Boston Harbour Hospital.

— Vous devriez faire du cinéma!

Elle lui mit un thermomètre dans la bouche.

— Tâchez de vous reposer. Le Dr MacClintock va venir vous voir...

Vérifiant la température du malade, elle fit une petite grimace. Puis elle lui prit la tension.

— Vos amis ont été obligés de partir, déclara-t-elle. Ils ont promis de revenir plus tard.

— Mes amis? Quels amis?

— Mlle Shannon et M. Larkin.

Rafael ne fit pas de commentaire mais son expression était suffisamment éloquente. Ni l'étrange imprésario ni l'actrice ne semblaient tenir beaucoup de place dans son cœur... Et pourtant, il était censé vivre avec Krystal Shannon l'idylle du siècle!

— Vous devez vous reposer...

— Je n'ai aucune envie de dormir! Je préfère bavarder avec vous... Vous me plaisez beaucoup, vous savez. Y a-t-il un homme dans votre vie?

— Mais oui!

— Quel dommage! Qui est l'heureux élu?

— Mon fils.

Hillary quitta la chambre et Rafael ferma les yeux. Mais le sommeil refusait de venir.

Un soupir gonfla sa poitrine. Il aimait mieux mourir plutôt que de lier son destin à celui de Krystal Shannon. La mort... Mais c'était peut-être ce qui l'attendait, si les médecins ne découvraient pas de quel mal il souffrait. Il devait jouer la comédie, ne pas dévoiler son identité, et mourir comme une star déchue... Il ne se souvenait plus que vaguement des raisons qui l'avaient entraîné à venir se faire soigner ici, à Boston. Les calmants commençaient à faire leur effet. Mais l'image grandiose du City Hall au cœur de la ville, près de Quincy Market, l'obsédait... Aurait-il oublié cette année-là, en mil neuf cent soixante neuf, quelques mois avant l'achèvement des travaux? Celui que l'on nommait aujourd'hui Rafael avait appris que l'on avait trouvé comme cachette pour son *trésor*, un des blocs de béton de la voûte centrale du City Hall où se pressaient depuis des années des foules de touristes et d'hommes d'affaires... Mais comment détruire le City Hall? Ce monument grandiose était devenu en moins de vingt ans le symbole de toute une ville, de son pouvoir et de son histoire!

Hillary termina sa ronde avant de regagner son

bureau. Elle y pénétra juste au moment où le téléphone sonnait.

— Hillary George...

— Avez-vous reçu mes roses?

— Oh! Maximillian... Oui, je les ai reçues! Merci, merci! Elles sont très belles... Mais je vous en prie, arrêtez de me couvrir de bouquets! Je vais être obligée d'ouvrir un magasin de fleurs!

— Vous seriez la plus jolie fleuriste de Boston. Nous dînons ensemble ce soir? J'ai découvert un petit restaurant italien près du City Hall...

— Et ma ligne?

— Alors, entendu pour ce soir?

— Je ne peux rien vous promettre. Il faut d'abord que je téléphone à Tommy pour savoir si tout va bien. Je vous rappellerai ensuite.

Elle raccrocha et contempla le combiné d'un air songeur. Maximillian Hill, l'acteur noir, lui plaisait énormément. Ils sortaient de plus en plus souvent ensemble. Il l'emmenait dîner dans des restaurants de charme. Puis, ensemble, ils assistaient à des concerts, ou bien ils allaient au théâtre, au cinéma... Quand ils ne se contentaient pas tout simplement de marcher le long de la plage en admirant la lune se refléter dans l'eau.

Il ne semblait pas pressé. Jamais il ne cherchait à tirer avantage de la situation. Lorsqu'il la quittait, il l'embrassait légèrement sur la joue. Rien de plus...

70

Bien sûr, il aurait voulu voir leurs relations évoluer. Mais il ne précipitait rien et elle lui en était infiniment reconnaissante.

Elle forma le numéro de son appartement et Tommy lui répondit immédiatement. Il était en train de lire un ouvrage consacré aux grands navigateurs d'autrefois et s'enthousiasmait pour Magellan et Francis Drake.

— Tu imagines, maman! Francis Drake a réussi à détruire toute la flotte espagnole! Celle qu'on appelait l'Invincible Armada!

Hillary eut un sourire attendri. A douze ans — l'âge qu'avait son fils actuellement —, elle savait à peine ce qu'était un livre... Elle était fière que Tommy se passionne pour la lecture. C'était un enfant très intelligent, à l'esprit vif et ouvert. Oh! Pourquoi fallait-il qu'une grave maladie osseuse le cloue au lit jour et nuit?

— Pourquoi me téléphones-tu, maman?

— Pour savoir si tu vas bien.

— Mais je vais très bien, voyons!

Elle hésita.

— M.Hill m'a invitée à dîner. Je peux accepter?

— Non.

— Alors, je n'irai pas...

— Je te taquine, maman! Va donc dîner avec M.Hill et passe une bonne soirée. Tu as besoin de te distraire...

Elle éclata de rire.

— Tu parles comme si tu étais mon père!

— Par moments, j'ai l'impression de l'être, ré-
torqua-t-il avec sérieux. Amuse-toi bien et surtout
ne t'inquiète pas pour nous. Carmen et moi saurons
nous débrouiller.

— Que penses-tu de M. Hill?

— Il est sympathique. Je l'ai vu l'autre jour dans
un film à la télévision... Un bon film, à part les
scènes d'amour. Est-ce qu'il t'embrasse quand vous
sortez ensemble?

La question la prit au dépourvu.

— Quelquefois.

Il soupira.

— Je suppose que c'est la vie...

Hillary pinça les lèvres. Son fils se montrait
parfois trop perspicace pour un petit garçon de
douze ans. A cause de ses lectures? Ou bien parce
qu'il avait le temps d'observer à loisir ceux qui
l'entouraient?

Après avoir raccroché, elle s'apprêta à téléphoner à Maximillian Hill. Elle n'en eut pas le temps:
la patiente du 411 l'appelait et elle courut immédiatement à son chevet.

Gloria Norman, l'actrice à qui une habile opération venait de rendre une taille de guêpe, prétendait souffrir le martyre et réclamait à cor et à cri
une injection de morphine...

— Je vais vous envoyer un médecin, promit Hillary.

Elle savait que les plaintes de l'opérée du 411 n'étaient que pure comédie. Gloria Norman était prête à tout pour obtenir un peu de morphine. Fallait-il déranger un médecin pour cela ? Le Boston Harbour Hospital n'avait pas l'habitude de transformer ses patients en drogués !

Revenant dans son petit bureau, elle se demanda si elle allait ou non rappeler Maximillian. Il lui donnait tant, et elle lui offrait si peu en retour... C'était injuste ! Avait-elle le droit d'agir ainsi ?

Maximillian ne savait rien d'elle. Absolument rien... Elle n'avait pas encore osé lui parler de son passé. Ce passé qui pesait des tonnes sur ses épaules...

Née dans le quartier noir le plus pauvre de Boston, elle avait eu l'enfance la plus misérable qui soit. Elle n'avait pas encore douze ans quand son beau-père l'avait violée, imité en cela par deux de ses amis. Tout cela l'avait menée à l'hôpital... Sa mère, droguée jusqu'à la moelle, demeurait incapable de prendre sa défense.

Lorsqu'elle se remémorait ces années noires, Hillary s'étonnait de ne pas avoir fini en arpentant un bout de trottoir. Car c'était malheureusement le destin qui attendait bon nombre des filles de son quartier.

Elle avait eu la chance, à seize ans, de trouver un emploi comme aide de cuisine au Boston Harbour Hospital. Elle avait appris par la suite qu'une assistante sociale avait téléphoné à Laura Carlyle pour la recommander. Laura lui avait sauvé la vie... Grâce à elle, elle avait pu passer de la cuisine à l'hôpital et suivre des cours afin de devenir infirmière.

C'était au Boston Harbour Hospital qu'elle avait fait la connaissance d'un jeune interne qui l'avait épousée. Elle croyait le bonheur à portée de main... Elle se trompait car elle était tombée sur un instable, un déséquilibré qui n'hésitait pas à la battre. Après la naissance de Tommy, elle avait divorcé.

Maintenant, Tommy était sa seule raison de vivre.

Et aussi un homme qu'elle aimait de tout son cœur, de toute son âme. Un homme qu'elle ne voyait que rarement, dans le plus grand secret. Un homme dont elle n'avait pas le droit de divulguer l'identité. Elle-même n'osait pas l'appeler par son véritable prénom. Pour elle, il était seulement *Arthur*.

Un interne passa dans le couloir et elle l'arrêta.

— Docteur! Gloria Norman vous demande...

— Ah! Je suis sûr qu'elle prétend souffrir terriblement et qu'elle veut une injection...

— Tout juste.

Il haussa les épaules.

— Je vais essayer de lui faire entendre raison.

Sans enthousiasme, il se dirigea vers le 411. Et Hillary se décida enfin à téléphoner à Maximillian.

Wilkerson semblait sûr de lui mais Brian Hecht se méfiait. La veuve de Greg Owen, une avocate, allait certainement porter plainte. Son mari, un homme dans la force de l'âge et en assez bonne condition physique, n'avait pas survécu à une opération banale après avoir été hospitalisé au Boston Harbour Hospital. On pouvait se poser des questions !

Brian présenta ses condoléances à Mme Owen. Laura Carlyle se trouvait déjà auprès de la veuve et lui tenait la main. Dans de telles circonstances, elle savait toujours exactement ce qu'il fallait dire. Ses yeux étaient rouges. Elle avait pleuré la mort d'un homme qu'elle ne connaissait même pas !

Dès qu'il avait appris la mort de Greg Owen, Brian avait interrogé tous ceux qui se trouvaient présents en salle d'opération. Leurs réponses concordaient. Non, l'anesthésiste n'avait commis aucune erreur...

Comme Wilkerson semblait le soupçonner, la mort de l'ancien footballeur était probablement due à une maladie cardiaque non diagnostiquée jusqu'à présent. Brian attendait maintenant les résultats de l'autopsie que l'on pratiquait en sous-sol.

Il continuait à se sentir mal à l'aise. Il savait pourquoi! Jamais il n'avait éprouvé de sympathie pour Wilkerson. Cet homme aux manières trop onctueuses ne lui inspirait pas confiance. Le personnage donnait raison aux rumeurs les plus folles de la ville qui faisaient de l'hôpital sur le port une sorte de Société Secrète très influente sur Boston.

Jenny Corban pénétra dans le bureau, un papier à la main.

— Voulez-vous jeter un coup d'œil à ce brouillon? demanda-t-elle. Il s'agit du communiqué que j'ai l'intention d'envoyer à la presse.

Les lèvres pincées, le front soucieux, il lut les quelques lignes dactylographiées. Cela lui déplaisait souverainement d'avoir à traiter avec la presse, mais Jenny avait raison. Mieux valait prévenir que guérir... Si aucune information ne venait en provenance de l'hôpital, les médias s'en donneraient à cœur joie, avançant des hypothèses toutes plus osées les unes que les autres.

Greg Owen est décédé au Boston Harbour Hospital alors qu'on l'opérait d'une hernie hiatale. Les causes de sa mort restent encore inconnues mais une enquête est en cours...

Suivaient quelques mots de condoléances à

l'égard de la famille, puis une brève biographie du sportif.

— Je peux ajouter une phrase ? demanda Brian.

Elle s'approcha de lui et se pencha au-dessus de son épaule. Son parfum monta aux narines de Brian. Un parfum très délicat, très discret, très féminin… Les cheveux de la jeune femme frôlèrent son oreille et il retint sa respiration.

Elle lui tendit un crayon.

Dès que les causes exactes de la mort de Greg Owen seront connues, la presse sera immédiatement prévenue, ajouta-t-il d'une écriture rapide.

— Très bien, approuva-t-elle. Oui, vous avez raison.

Il leva la tête et rencontra son regard. Ses seins frôlaient son épaule. Le désir l'envahit quand son regard se posa sur ses lèvres entrouvertes…

Brusquement, Jenny sauta en arrière.

— Madame Hecht ! s'écria-t-elle.

Brian se tourna vers la porte. Roberta se tenait sur le seuil, les yeux étincelants. Elle avait été témoin de cette petite scène et, bien entendu, l'interprétait à sa façon…

— Je suis de trop, je vois ! lança-t-elle d'un ton acide.

— Quelle idée ! protesta Brian.

Il haussa les épaules.

— Nous mettons au point un communiqué pour

la presse, expliqua-t-il. Un patient est mort ce matin en salle d'opération.

Roberta fixait Jenny sans ciller. On aurait cru une tigresse prête à fondre sur sa proie...

— Tu connais Jenny Corban? demanda Brian.

— Mais oui, bien sûr.

Elle souriait mais ses yeux demeuraient de glace.

— Que veux-tu, Roberta?

Brian parlait d'un ton naturel: il n'avait rien à se reprocher, rien à cacher.

Roberta avait longuement réfléchi avant de se décider à mettre son mari au courant du complot que tramait Junior Carlyle. Elle estimait de son devoir de lui parler. Mais après ce qu'elle venait de voir, plus question! Tant pis... L'hôpital pouvait être transformé en résidence de luxe ou en bidonville, elle s'en moquait!

— J'allais voir grand-mère, déclara-t-elle. J'ai fait un petit détour par ton bureau...

Il l'enveloppa du regard. Il savait que, jugeant sur les apparences, elle interprétait de manière erronée ce qu'elle venait de voir. Mais que pouvait-il dire? Que pouvait-il faire?

— C'est gentil, fit-il d'une voix neutre.

Elle eut un rire dur.

— Et comment!

Là-dessus, elle disparut.

**
**

Roberta embrassa sa grand-mère sur la joue. D'ordinaire, elle se montrait beaucoup plus expansive. Mais elle était trop en colère pour cela.

A chaque instant, elle revoyait son mari et cette Jenny, tendrement penchés l'un vers l'autre... Ils étaient sur le point de s'embrasser, elle l'aurait juré. Seule son apparition inattendue les en avait empêchés.

— Tu es au courant du drame ? demanda Laura Carlyle.

— Le drame ? Non. Quel drame ?

En quelques mots, sa grand-mère lui apprit la mort de Greg Owen.

— Ah ! fit seulement Roberta.

Elle ne connaissait pas le footballeur, n'avait jamais entendu parler de lui et sa mort lui était indifférente.

Ainsi, Brian avait une maîtresse... Oh ! Elle aurait dû s'en douter ! Il passait tout son temps à soi-disant travailler... Mais qu'il ait choisi une des employées de l'hôpital, et que *cela* se passe dans son propre bureau... C'était indigne de lui. Elle lui aurait cru un peu plus de classe.

— Je ne me souviens pas qu'un tel drame soit jamais arrivé au Boston Harbour Hospital, soupira Laura.

— Ce n'est pas de ta faute, voyons, grand-mère !

Si elle l'accusait, Brian nierait. Il l'accuserait de

faire un drame à partir de rien. Il dirait que Jenny Corban et lui travaillaient, tout simplement.

Elle serra les poings. Le regard qu'ils avait échangé était plus éloquent que tous les discours. Cette blonde s'appuyait contre l'épaule de son mari. Et il ne la repoussait pas, loin de là!

— Assez parlé de mes soucis, ma chérie. Je suis contente que tu viennes me rendre une petite visite… Qu'as-tu d'intéressant à me raconter?

Roberta avait eu l'intention de lui parler de Junior Carlyle. Maintenant, elle n'en avait plus envie… Elle se contenta de déclarer avec un sourire forcé:

— Oh! Rien de spécial… Je viens de passer chez Brian. Il travaillait en compagnie de son assistante. Une blonde… Comment s'appelle-t-elle, déjà?

— Jenny Corban.

— Elle travaille au Boston Harbour Hospital depuis longtemps?

— Depuis environ un an, je crois.

— C'est elle qui est chargée de la sécurité? Elle n'est pas trop jeune pour se voir confier une telle responsabilité?

— Elle est très capable, tu sais. C'est elle qui s'occupe aussi de la presse.

— Ah! La presse! lança Roberta, sarcastique.

Leigh Mariner prit son tour de garde au 4-A un peu avant quatre heures de l'après-midi.

Hillary l'attendait dans le petit bureau des infirmières.

— Nous avons un nouveau malade au 410, lui apprit-elle.

Leigh s'empara du registre. En face du n°410, aucun nom ne figurait. On y lisait seulement, en grandes lettres rouges, le mot *confidentiel*. Cela signifiait que l'on ne devait à aucun prix divulguer l'identité du malade concerné. Son dossier restait sous clé et nul n'avait le droit de le consulter, à l'exception du médecin traitant et des infirmières en charge.

— Qui est-ce? interrogea Leigh.

Hillary s'empara du dossier 410 et en montra la première page à la jeune fille.

— Rafael! s'exclama cette dernière. Rafael lui-même? Celui que toute la presse présentait comme le futur époux de Shannon? Le mystérieux Rafael, cette star du cinéma qui interdirait la diffusion de tous ses films, dont on n'a jamais vu une seule bobine...

— Rafael lui-même...

— Comment est-il?

— Très beau...

— Et de quoi souffre-t-il?

— Jusqu'à présent, pas de diagnostic. Tu dois surveiller sa tension et sa température régulièrement... Pour l'instant, c'est tout.

Leigh s'empara de la fiche où figuraient les noms des visiteurs autorisés.

— Krystal Shannon! s'exclama-t-elle.

— Je l'ai vue ce matin, déclara Hillary. Une vraie star...

Elle leva le doigt pour attirer l'attention de la jeune infirmière.

— Tu remarqueras que le nom de Dawn Appleton n'est pas sur la liste.

— Oh! Dawn Appleton... Celle que la presse décrit déjà comme l'ex-femme de Rafael?

— Tout juste. Elle se trouve aussi au Boston Harbour Hospital. Au 3-B... Mais il ne veut pas la voir.

Hillary communiqua à Leigh quelques instructions concernant les patients du 4-A. Rien de bien particulier... Le prince saoudien avait fait venir toute une équipe d'infirmières privées et le personnel de l'hôpital ne pénétrait que rarement dans sa suite. Quant à Gloria Norman, elle devenait de plus en plus exigeante et il fallait à tout prix éviter de lui faire de nouvelles injections de morphine.

— Bref, la routine! conclut Hillary.

— Comment va Tommy? demanda Leigh.

— Pas trop mal en ce moment...

— Tu rentres passer une soirée tranquille avec lui?

L'espace d'un instant, Hillary fut tentée de lui

parler de Maximillian Hill. Mais elle ne voulait pas que tout le monde sache qu'elle sortait avec l'acteur... Pourtant, elle savait pouvoir compter sur la discrétion de Leigh. La jeune infirmière n'avait que des qualités. Honnête, loyale, franche, passionnée par son métier... Il était rare de trouver une femme de ce genre à Hollywood!

— Je vais dîner avec un ami, déclara enfin Hillary.

— Je suis contente pour toi! Tu as besoin de te distraire un peu. Passe une bonne soirée!

Hillary sourit.

— Toi aussi, passe une bonne soirée... Va rendre une petite visite au 410. Je crois que tu lui plairas.

Leigh ouvrit de grands yeux étonnés.

— Moi?

Sa stupeur n'était pas jouée car elle ignorait à quel point elle était jolie. Mais sa beauté était secrète. Les hommes ne se retournaient pas sur elle dans la rue. Ils ne voyaient pas, au premier coup d'œil, combien elle était ravissante avec son teint sans défaut, son visage ovale et ses longs cheveux châtains.

— Oui, toi! assura Hillary.

— A côté d'une Krystal Shannon, je ne fais pas le poids...

Hillary revit l'expression de Rafael quand elle lui

avait parlé de l'actrice. Entre eux, il n'existait qu'une idylle de cinéma. Les paparazzi avaient fait le reste. Elle avait le pressentiment qu'il s'entendrait bien avec la petite infirmière de l'Iowa.

S'emparant de son sac, elle se dirigea vers la porte.

— A demain !

— A demain, Hillary.

Dix minutes plus tard, Leigh passa de chambre en chambre. Elle apportait le menu du dîner aux malades et ces derniers choisissaient ce qui les tentait.

Comme à l'ordinaire, Gloria Norman commença à se plaindre. Leigh se contenta de l'écouter en hochant la tête d'un air compréhensif. Elle était parfois tentée de la remettre à sa place, mais cela n'aurait servi qu'à amorcer une discussion déplaisante. A quoi bon ?

Elle ne vit pas le prince saoudien et se contenta de remettre le menu à l'une de ses infirmières privées.

Rafael, assis au bout de son lit, contemplait ses orteils quand elle pénétra dans la chambre 410... Dès le premier coup d'œil, elle le reconnut. Mais qui ne l'aurait pas reconnu alors que son image s'étalait sur tous les murs et sur toutes les couvertures des magazines ? Pourtant on ne connaissait de lui qu'une image, rien de plus !

Une crinière dorée, un visage bien dessiné, de pénétrants yeux bleus… Il était encore plus beau au naturel qu'en photo. Mais il semblait avoir perdu un peu de poids. Parce qu'il était malade ?

Il leva la tête et, sans un mot, il l'examina longuement d'un regard profond qui semblait vouloir vous entraîner dans ses abîmes bleutés…

— Je trouvais l'autre infirmière très jolie, déclara-t-il enfin.

Malgré elle, Leigh rougit.

— C'était avant de vous avoir vue ! ajouta-t-il.

La rougeur de la jeune fille s'accentua. Elle savait que sa blouse d'uniforme lui allait bien. Toutes les infirmières étaient obligées de porter la même tenue et d'en changer quotidiennement. C'était Laura Carlyle qui en avait choisi le modèle. Il flattait la silhouette des minces mais celles qui avaient des problèmes de poids se plaignaient…

— Vous ne portez pas le même bonnet qu'Hillary, remarqua Rafael.

Leigh avala sa salive.

— Hillary a obtenu son diplôme en Californie. Moi, je viens de l'Iowa.

— Et moi de beaucoup plus loin…, répondit-il rêveusement.

Il lui sourit. Un sourire dévastateur… Elle s'éclaircit la voix et lui tendit le menu.

— Choisissez votre dîner…

— Merci.

Il s'empara de la carte mais n'y jeta pas un coup d'œil.

— Une fille de l'Iowa! Mais comment avez-vous atterri à Boston?

Elle évita son regard.

— C'est sans le moindre intérêt, monsieur Rafael.

— Appelez-moi Rafael.

Elle pinça les lèvres. Elle se méfiait des acteurs... Surtout de ceux dont on ne pouvait voir un seul film! Depuis maintenant près d'un an qu'elle travaillait à l'hôpital, elle avait eu l'occasion d'en côtoyer beaucoup. Et de les juger sans indulgence...

— Leigh Mariner, lut Rafael sur le badge qu'elle était obligée de porter comme toutes ses collègues. Leigh... J'aime votre prénom.

Il sourit.

— Ne me racontez pas votre histoire si vous n'en avez pas envie.

Elle réprima un geste d'impatience.

— Il ne s'agit pas d'un secret, monsieur Rafael! Mes parents sont venus s'installer à Boston et je les y ai suivis. Comme ils n'ont pas réussi à s'adapter à la Californie, ils sont retournés en Iowa. Moi, j'avais déjà un poste au Boston Harbour Hospital. Je suis restée. Et voilà!

— Et voilà…, fit-il en écho.

— Maintenant, si vous voulez bien choisir votre menu, insista-t-elle.

— Vous avez un visage très expressif.

Cette remarque la prit au dépourvu et elle demeura silencieuse.

— Oui, vous avez un visage très expressif…, répéta Rafael. Il reflète tous vos sentiments.

— Je sais…, admit-elle enfin.

Elle rougit.

— Il s'agit d'un défaut dont j'essaie de me corriger.

— Surtout pas! Cela me plaît… Cela me plaît beaucoup.

4.

Léon Kazinsky allait et venait dans son appartement comme un ours en cage. A plusieurs reprises, il avait décroché le téléphone pour appeler Brian Hecht. Il avait renoncé à former le numéro de ce dernier… Il était déjà tard. Ce qu'il avait à lui dire pouvait attendre le lendemain.

Sa décision était prise. Il allait présenter sa démission et retourner à Chicago. Il voulait exercer sérieusement son métier. Au Boston Harbour Hospital, ce n'était pas possible… Trop de mystères qui accaparaient l'esprit de tous les médecins au détriment des soins. Même les plus urgents! Comment pouvait-on négliger de pratiquer un électrocardiogramme quand un malade se plaignait de douleurs dans la poitrine?

— Intolérable, martela-t-il.

A aucun prix, il ne voulait continuer à travailler avec Wilkerson.

Heather Llewellyn savait qu'elle avait de beaux yeux. On le lui avait souvent dit... Mais jamais de manière aussi poétique. Et c'était le grand patron du service médecine lui-même qui lui faisait de tels compliments!

Elle se trouvait en compagnie de Mac MacClintock dans le bureau de ce dernier.

— Tout ce que je viens de vous dire, je le pense vraiment, assura-t-il. Me croyez-vous, Heather?

— Mais... oui, docteur MacClintock.

— Appelez-moi Mac. Tout au moins quand nous sommes seuls...

Ils étaient assis côte à côte sur le confortable canapé. Mais pas trop près l'un de l'autre cependant... MacClintock venait d'offrir à la jeune infirmière un whisky qu'il avait préparé lui-même. Elle le buvait lentement, à petites gorgées.

— Ainsi, vous venez du Pays de Galles..., remarqua-t-il.

— Oui, je suis née à Swansea.

Elle sourit et s'écarta légèrement, soudain consciente de leur proximité et de la longue fermeture à glissière qui fermait sa blouse d'uniforme.

Soudain il se pencha et l'embrassa. Ce fut un baiser très léger, très tendre. Et qui ne dura pas. Déjà, MacClintock s'était redressé.

— Quel âge aviez-vous quand vous êtes venue en Amérique?

— Dix-sept ans. J'ai d'abord travaillé comme serveuse. Puis j'ai commencé des études d'infirmière. Et j'ai été engagée au Boston Harbour Hospital. Voilà!

— Je suis heureux que vous soyez ici.

Il lui reprit les lèvres. Cette fois, le baiser se prolongea. Les yeux clos, Heather y répondit avec élan. C'était la première fois qu'un homme prenait tout son temps et ne cherchait pas précipiter les choses. Et cela lui plaisait. Cela lui plaisait beaucoup!

Il releva la tête et la contempla.

— Je me sens parfois si seul, Heather! soupira-t-il.

De nouveau, il l'attira contre lui. Frémissante, elle se blottit dans ses bras, lui tendant ses lèvres.

— Heather..., murmura-t-il. Toute ma vie, j'ai cherché un trésor. Non! Pas un trésor, mais un joyau d'une valeur inestimable. L'aurais-je enfin trouvé?

Il lui avait déjà dit que ses yeux étaient comme des pierres précieuses... Tant de compliments! Mais il semblait vraiment penser ce qu'il disait.

Pourquoi se méfierait-elle ? Pourquoi aurait-elle des doutes ? Elle voulait être à lui et rien d'autre ne comptait. Quand sa petite coiffe blanche tomba sur la moquette, elle n'y fit pas attention...

— Comment diable enlève-t-on cet uniforme ? grommela Mac MacClintock.

Elle avait peine à croire qu'il l'ignorait... Mais un détail de ce genre avait-il une quelconque importance dans un moment pareil ? Elle se pencha en avant et il fit descendre la fermeture à glissière.

Trois étages au-dessus, Grace Yust contemplait le téléphone sans se décider à le décrocher. Ginger Rodgers et Amy Wells avaient réussi à la convaincre de prendre une part active dans leur petite conspiration...

Grace n'avait pas été étonnée d'apprendre que Ginger Rodgers faisait elle aussi partie des conquêtes de Mac MacClintock. Mais qu'Amy Wells ait également succombé, cela la surprenait ! Tout le monde la croyait très amoureuse de son mari...

Personne ne pouvait donc résister au charme du grand patron du service médecine ?

Marilyn Bascombe pénétra dans le petit bureau.

— Vite, Grace ! C'est le moment...

L'infirmière sursauta.

— Quoi! Toi aussi?

Marilyn sourit.

— Grâce à lui, j'ai vécu pendant quelques jours au septième ciel. Mais je ne lui en veux pas du tout. J'étais tellement déprimée après mon divorce! Il a su faire de moi une nouvelle femme. Une femme plus gaie, plus optimiste…

Son sourire s'agrandit.

— Il a cependant besoin d'une leçon. Allons, téléphone-lui, Grace!

— Maintenant?

— Oui…

Grace appela le standard et demanda à être mise en communication avec le Dr MacClintock. Une petite musique se fit entendre, entrecoupée de bip-bip. Le grand patron du service médecine portait en permanence à sa ceinture un récepteur-émetteur relié au standard de l'hôpital.

Sa voix résonna enfin dans l'écouteur.

— Oui? Ici MacClintock…

— Grace Yust, s'annonça l'infirmière. Du 3-B. Vous m'aviez demandé de vous prévenir si Mme Swallen allait plus mal.

— Oh non! Pas maintenant! s'exclama-t-il.

— Mais elle va plus mal! insista Grace. Une hémorragie…

— Vous ne pouvez pas prévenir l'interne de service?

Derrière Grace, les trois autres infirmières avaient peine à garder leur sérieux.

— Vous m'aviez demandé de vous prévenir... Et elle vous réclame !

Grace savait que MacClintock avait trop de conscience professionnelle pour ne pas accourir immédiatement quand on le lui demandait.

Il soupira profondément.

— Très bien. J'arrive.

Grace éclata de rire après avoir raccroché.

— Il a mordu à l'hameçon ! Le pauvre... Il paraissait si déçu...

Mac jura entre ses dents.

— Je suis obligé de partir.

— Oh ! s'exclama Heather.

Soudain gênée, elle remonta sa blouse. Mac se pencha et l'embrassa.

— L'état de Mme Swallen empire...

Il hocha la tête.

— Elle a bien mal choisi son moment...

Il ouvrit les mains dans un geste d'impuissance.

— Le devoir m'appelle... Mais j'espère que ce n'est que partie remise !

— Je l'espère aussi ! dit-elle avec ferveur.

Dans un crissement de freins, la Corvette s'arrêta devant la longue villa blanche des Hecht.

Brian bondit hors de la voiture et se précipita dans le hall. Il avait travaillé plus tard que d'habitude. Et il allait être en retard pour sa partie de squash...

Il gravit l'escalier quatre à quatre, tout en se débarrassant de sa veste. Il poussa la porte de sa chambre et la jeta sur son lit.

— Tu as été très pris au bureau aujourd'hui, remarqua Roberta d'une voix acide.

Il se retourna, surpris. Il ne s'attendait pas à la trouver ici à cette heure de la journée. Elle portait une robe de cocktail en soie rouge vif, drapée sur le côté et très décolletée.

Elle était plus jolie que jamais. Autrefois, il la trouvait irrésistible. Maintenant, elle le laissait de glace.

— En effet! admit-il. La mort de Greg Owen représente un coup dur pour l'hôpital.

— Mais tu es très bien secondé, ironisa-t-elle.

Brian dénoua sa cravate et la jeta sur un fauteuil. Puis il commença à déboutonner sa chemise.

— De pareilles attaques sont indignes de toi, ma chère.

— Ah! Ma chère... Et elle, comment l'appelles-tu?

Elle souriait, mais son sourire ressemblait plutôt à une grimace.

— Je t'en prie, Roberta! Une pareille scène est... méprisable. Je n'ai aucune envie de me lancer dans une discussion maintenant.

— Mais moi, j'ai envie de parler.

— Ecoute, il n'y a rien entre Jenny Corban et moi, martela-t-il. Compris?

— C'est toi qui le dis.

— Et je dis la vérité.

— Mais moi, j'ai vu!

Elle brandit vers lui un index accusateur.

— Je l'ai vue, de mes yeux, se frotter contre toi! Je ne suis pas aveugle, figure-toi. Elle avait l'air coupable... Et toi aussi!

Il leva les bras au ciel.

— Tu es malade! Veux-tu que je prenne un rendez-vous à ton intention au service psychiatrique? Cela ne te coûtera rien... Le personnel de l'hôpital et leur famille bénéficient de la gratuité des soins.

Folle de rage, Roberta tapa du pied. Elle ouvrit la bouche, s'apprêtant à hurler. Au prix d'un effort visible, elle réussit cependant à se calmer.

— Dépêche-toi de t'habiller! jeta-t-elle. Sinon nous arriverons en retard à la réception.

— Quelle réception?

— Tu sais bien que maman organise un cocktail ce soir! Je t'en ai parlé la semaine dernière et tu as promis de m'y accompagner.

Maintenant qu'elle le lui rappelait, il s'en souvenait vaguement.

— Vas-y sans moi. Je n'ai pas le temps d'aller là-bas. On m'attend ailleurs...

— Où ?

— Au squash.

— Le squash ! répéta-t-elle avec mépris.

— Oui. Présente à ta mère mes excuses.

— Le squash ! Est-ce qu'*elle* joue au squash ?

— Je te l'ai déjà dit, Roberta. Tu es malade ! Malade...

Là-dessus, il la poussa dehors, lui claqua la porte au nez et s'enferma dans la salle de bains.

Cassie Borden possédait un avantage sur les autres journalistes chargés des pages de potins dans la presse à scandale : ses articles paraissaient tous les jours. Car elle écrivait pour un quotidien et non pour un hebdomadaire, comme la plupart de ses confrères.

Elle était cependant loin de rouler sur l'or, et elle attendait encore le *scoop* qui lui apporterait la gloire et la fortune. Difficile, à cinquante-deux ans, de continuer à fouiner partout en espérant trouver l'histoire croustillante ou le détail indiscret qui intéresserait les lecteurs. La plupart des autres journaux disposaient d'équipes de reporters. Elle travaillait toujours seule...

Avec une grimace, elle contempla son reflet dans une glace de poche. Elle portait une robe marron et une veste pailletée d'argent. Du bout des doigts, elle remit un peu d'ordre dans ses courtes boucles blondes. Elle les coupait elle-même et, ma foi, ce n'était pas si mal réussi...

Un soupir gonfla sa poitrine.

— Ce n'est pas demain que tu pourras t'offrir un lifting, ma fille! Pourtant, tu en aurais bien besoin...

Mais elle n'avait pas encore fini de payer le dentiste... Toute sa vie, elle aurait donc des dettes?

Après avoir éteint la lumière dans son bureau, elle alla trouver la secrétaire que le journal lui avait attribuée à mi-temps.

— Je sors. Si j'apprends quelque chose d'intéressant, je vous téléphonerai.

Il lui arrivait souvent de dicter ses articles au téléphone et la secrétaire, après les avoir dactylographiés, les remettait au rédacteur en chef avant la dernière édition du jour.

— Bien, mademoiselle Borden. Où puis-je vous joindre en cas d'urgence?

— Je vais d'abord à la réception de Constance Carlyle. Après, qui sait...

— Bonne chasse!

Elle se dirigea vers les ascenseurs.

— Cassie?

— Oui?

L'assistant du rédacteur en chef arriva à sa hauteur.

— J'ai été obligé de couper un bon tiers de votre colonne, hier. Après ce que vous racontiez à son sujet, j'ai eu peur que Johnny Carson ne nous intente un procès en diffamation...

Elle haussa les épaules. Il y avait longtemps qu'elle ne discutait plus les décisions de ses chefs.

— Je n'ai pourtant écrit que la vérité.

— Nous ne pouvons pas prendre de risques.

De nouveau, elle haussa les épaules.

— Coupez, coupez ce que vous voulez! fit-elle d'un air désabusé. Je n'en mourrai pas.

Les portes de la cabine coulissèrent et elle s'apprêta à y pénétrer.

— Mademoiselle Borden! appela la secrétaire.

Elle se retourna. La jeune fille la rejoignit en courant. Elle était hors d'haleine.

— Un appel téléphonique...

— Pourquoi n'avez-vous pas pris le message?

— On n'a pas voulu me le donner. Venez vite! Il paraît que c'est important...

Cassie Borden hésita un instant. Qui l'appelait? Peut-être un agent de presse cherchant à promouvoir une quelconque starlette... Mais on ne savait jamais.

— J'y vais.

Elle retourna à son bureau et s'empara du téléphone.

— Cassie Borden, s'annonça-t-elle. Je vous écoute…

— …

Ses yeux s'agrandirent démesurément.

— Quoi? Evidemment que cela m'intéresse! Mais l'information est-elle sûre à 100 %? Il m'est impossible de vérifier maintenant. Non, je n'ai pas à fournir mes sources… Vous n'avez pas à me donner votre nom…

Après avoir raccroché, elle s'installa devant sa machine à écrire et, sans perdre un instant, commença à dactylographier.

Nous apprenons de source sûre que Rafael — Rafael Marcus, ancien acteur de cinéma venu de Bolivie sans que l'on puisse avoir la moindre idée de sa carrière à l'écran — a été admis au Boston Harbour Hospital ce matin. De quoi souffre-t-il? Les médecins n'ont pas encore voulu se prononcer. Krystal Shannon se trouve bien entendu à son chevet. Dès que nous obtiendrons d'autres informations, nous ne manquerons pas de les communiquer à nos lecteurs. Mais d'ores et déjà plusieurs questions se posent: qui est exactement Rafael Marcus? Les rumeurs faisant de lui un ancien espion doivent-elles être prises au sérieux? Que fait-il à Boston?

Leigh Mariner poussa le chariot chargé de médicaments dans la chambre de Rafael. C'était l'heure de préparer les malades pour la nuit.

L'acteur était assis sur son lit, adossé à ses oreillers. Il avait chaussé des lunettes pour lire un manuscrit. Le scénario de son prochain film, peut-être? Mais Leigh travaillait depuis assez longtemps au Boston Harbour Hospital pour savoir que l'on ne posait pas de questions de ce genre.

— Monsieur, vos médicaments...

Il contempla sans enthousiasme les deux comprimés qu'elle avait posés sur une soucoupe.

— Qu'est-ce que c'est?

— De l'aspirine, tout simplement.

Il avala les comprimés avec un demi-verre d'eau. Puis il se mit à rire.

— Vous connaissez les tarifs de cet hôpital? Et pour ce prix, je n'ai droit qu'à de l'aspirine?

— Dès que les médecins auront établi leur diagnostic, vous aurez droit à un traitement plus sophistiqué, assura-t-elle.

Elle jeta un coup d'œil au fauteuil qu'occupait Krystal Shannon en fin d'après-midi. Heureusement, l'actrice était partie...

Rafael saisit son regard et fronça les sourcils.

— Je suis navré. Krystal n'a pas été très aimable avec vous...

— Mais... si.

— Elle vous a demandé d'aller lui chercher à boire. Vous n'êtes pas sa domestique !

Leigh sourit.

— Cela fait partie de mon travail. Et je n'ai eu qu'à téléphoner en bas pour qu'on lui apporte un gin-tonic.

Rafael ne semblait pas convaincu.

— Dans un endroit comme celui-ci, le client est roi, n'est-ce pas ?

— Normal...

— Et si vous refusiez d'obéir à vos malades, vous perdriez votre poste ?

— Je n'ai vu aucun inconvénient à offrir à Mlle Shannon le gin-tonic qu'elle demandait.

Un soupir gonfla sa poitrine.

— Comme elle est jolie !

— Vous trouvez ?

— Oh oui !

— Un peu vulgaire...

Stupéfaite, Leigh battit des paupières.

— Vous ne parlez pas sérieusement !

— Je n'ai jamais été aussi sérieux de ma vie.

Il semblait sombre. Puis un sourire — son célèbre sourire — illumina son visage.

— J'ai droit à un massage ce soir ? demanda-t-il.

— J'allais vous le proposer.

Il ôta le haut de son pyjama et s'allongea sur le ventre, exposant un dos bronzé et de solides biceps. Sa musculature étonnante aurait très bien pu être celle d'un homme rompu aux exercices les plus dangereux... Leigh ouvrit un petit flacon et en fit tomber quelques gouttes sur son dos.

— Attention! C'est froid...

Elle hésita avant de se mettre au travail. Des massages de ce genre, elle en avait fait des centaines, des milliers... Mais celui-ci ne ressemblait pas aux autres. Pourquoi? Elle aurait été bien en peine de le dire!

— Eh bien? s'étonna-t-il. Allez-y...

Le dos de Rafael était brûlant. Il avait encore de la fièvre...

— Oh! Comme cela détend...

Leigh avala sa salive et continua son massage. Toutes les infirmières du Boston Harbour Hospital recevaient des cours de kinésithérapie et les malades leur demandaient souvent de mettre leur savoir en pratique.

Pour la première fois, Leigh était troublée en massant un patient! Que lui arrivait-il donc? Sous la caresse de ses doigts, elle sentait vivre la peau de Rafael... Son trouble s'accentua et, brusquement, le désir la submergea.

Rafael se retourna et plongea son regard dans le sien. Comme hypnotisée, elle demeura immobile, la bouche entrouverte.

— Je ne suis peut-être pas aussi malade que cela..., murmura-t-il d'une voix rauque. Dites-moi, peut-on fermer cette porte de l'intérieur ?

Leigh se redressa et recula d'un pas. Rafael ne cacha pas sa déception.

— Le massage est terminé ?

— Oui...

— Dommage !

Elle retint sa respiration en contemplant le bout de ses souliers.

— Quand vous étiez dans l'Iowa, vous êtes-vous jamais dit qu'un jour, vous masseriez le dos d'une soi-disant star ? interrogea-t-il.

Il parlait avec ironie, se moquant de lui-même. Comme si rien ne venait de se passer...

— Non, jamais, admit-elle.

— Eh bien, moi, je n'ai jamais pensé que je deviendrais une star au firmament d'Hollywood ! poursuivit-il, toujours sur le même ton sarcastique. Et d'ailleurs ce n'est pas vraiment ce qui est arrivé !

— Qu'aviez-vous envie de faire ? Du cinéma ?

— Cela ne m'était jamais venu à l'idée. Je voulais devenir aventurier...

Il secoua la tête.

— La vie est bizarre... Elle vous réserve parfois de ces surprises ! Au fait, connaissez-vous le City Hall à Boston ?

— Qui ne connaît pas le City Hall! Pourquoi cette question?

En effet, que venait faire le City Hall dans cette conversation? Rafael était un étrange personnage... Star sans en être une véritablement, malade séduisant toutes les infirmières, bénéficiant de la protection rapprochée de Krystal Shannon et de la CIA, à en croire la presse! Il était d'une étrange beauté, presque sauvage, indienne, mais avec des yeux d'un bleu turquoise surprenant, le teint hâlé, et une chevelure blonde presque dorée.

Leigh avait retrouvé sa maîtrise d'elle-même.

— Je vais vous laisser vous reposer.

Il remit sa veste de pyjama.

— Merci pour le massage!

Hillary avait l'intention de parler sérieusement à Maximillian pendant le dîner mais elle n'en eut pas la possibilité. Ils étaient assis non loin de l'entrée du restaurant. Beaucoup de dîneurs avaient reconnu l'acteur et nombreux étaient ceux qui venaient lui réclamer des autographes.

Sur sa lancée, une jeune fille tendit même un papier et un stylo à Hillary. Cette dernière secoua la tête en riant.

— Non, pas moi! Je ne suis pas une célébrité!

— Vous pourriez l'être, assura Maximillian. Vous êtes si jolie!

Après dîner, il lui proposa de marcher le long de la plage.

— A condition que vous ne soyez pas obligée de vous lever trop tôt demain matin, ajouta-t-il.

— Je commence à travailler de bonne heure, c'est vrai. Mais j'ai à vous parler...

Dans la Mercedes qui les emmenait vers la plage, elle le contempla d'un air songeur. Son profil net se découpait sur la vitre. Comme il était beau avec sa peau sombre et ses traits fins...

— J'avais autrefois un ami médecin, déclara-t-il à mi-voix. Il me disait : « Epouse donc une infirmière. Ce sont des femmes formidables ! Pleines de qualités... Intelligentes, patientes, compréhensives, toujours souriantes, etc. » Que pensez-vous de cette description ?

— Assez exacte dans la plupart des cas.

— J'aurais dû me souvenir de ses conseils lors de mes deux précédents mariages ! Cela m'aurait peut-être évité deux divorces.

Il sourit.

— Mais je peux toujours tenter une troisième expérience. En prenant en considération l'avis de mon ami !

Hillary demeura silencieuse. La voiture roulait lentement le long de la plage. Puis Maximillian la gara, coupa le moteur et éteignit les lumières. Il prit Hillary dans ses bras et l'embrassa.

Relevant la tête, il la contempla à la lueur du clair de lune.

— De quoi vouliez-vous parler, Hillary ? demanda-t-il enfin.

— De vous, de moi... de nous. Vous ne savez rien de moi, Maximillian.

— Mais si, voyons ! Vous êtes infirmière au Boston Harbour Hospital. Vous avez un fils, Tommy, que vous adorez et qui vous le rend bien.

Il haussa les épaules.

— C'est le présent qui compte, Hillary. Vous êtes devenue une femme intelligente, sensible, indépendante... une femme irrésistible !

— Mais vous ne savez rien de moi ! insista-t-elle.

— Et vous ? L'image que je présente à l'écran n'a pas grand-chose à voir avec ma véritable personnalité.

— Cela, je le sais mieux que quiconque !

— Regardez devant vous, Hillary. Pas derrière. Le passé n'a pas d'importance... Je n'ai aucune envie de vous raconter la vie d'un petit garçon noir très pauvre qui avait peine à survivre sur les trottoirs de Kingston. Pas plus que vous ne souhaitez remuer de mauvais souvenirs. Votre histoire, c'est un peu la mienne. Avec quelques détails en moins ou en plus.

Il lui prit la main.

— Il faut oublier tout cela. Ce sont les Blancs qui s'appesantissent sur les mauvais moments...

Elle le regarda, surprise de se sentir comprise sans rien avoir dit.

— Vous avez raison..., fit-elle à mi-voix.

Puis, très bas, elle ajouta :

— Merci...

Il la reprit dans ses bras et, toute frémissante, elle se blottit contre sa solide poitrine. Leurs lèvres se rencontrèrent dans un baiser sans fin. Le désir les brûlait tous deux.

— J'habite tout près d'ici, fit Maximillian. Voulez-vous venir chez moi ?

— Oui, je le voudrais... Mais je ne le peux pas.

— Pourquoi ?

Péniblement, elle avala sa salive.

— Parce qu'il vaut mieux ne pas commencer...

— Mais nous avons déjà commencé !

Elle baissa la tête.

— C'est de ma faute. Je me suis laissé emporter... J'ai eu tort.

— Hillary...

Soudain, la colère l'emporta.

— Alors, pour nous, il n'y a aucun espoir ?

— Je le voudrais tant...

Il sortit de voiture et fit quelques pas avant de revenir vers elle. Déjà, il s'était calmé et souriait.

— Expliquez-vous ! demanda-t-il.

— Je vais essayer. Vous comprenez, mon existence gravite autour de mon fils. J'ai tout organisé comme si nous étions seuls au monde. Cela n'a pas été facile, croyez-moi ! Surtout après… après avoir vécu ces pénibles moments que nous n'avons pas plus envie d'évoquer l'un que l'autre. Je ne suis pas sûre de vouloir vivre différemment. J'ai besoin de réfléchir…

— N'en dites pas plus. Je comprends.

Il reprit sa place derrière le volant et mit le moteur en marche.

— Vous êtes fâché ? s'enquit timidement Hillary.

— Non. Amoureux.

— Je savais que ce serait bien, nous deux ! avait déclaré Dawes Banning avant de sombrer dans le sommeil.

En se mordant la lèvre inférieure, Roberta contempla l'homme qui dormait à ses côtés.

Elle le connaissait depuis déjà un certain temps et n'avait pas été surprise de le trouver chez sa mère. Puisque Brian était absent, Dawes s'était déclaré son chevalier servant. Elle en avait été ravie : elle avait tellement besoin qu'on l'admire, qu'on lui fasse des compliments…

Aussi, pendant que la réception battait son plein, elle n'avait pas fait trop de difficultés pour le suivre dans l'une des chambres du premier étage.

Oui, il avait raison. Cette petite session avait été assez agréable. Alors pourquoi se sentait-elle si triste ? Pourquoi avait-elle envie de pleurer ? Mais Boston elle-même avait été créée dans les pleurs, lorsque la ville n'était qu'une colonie britannique, et que déjà de délicates jeunes filles tremblaient de désir derrière les murs de briques des hauts quartiers de Beacon Hill, en songeant aux hommes sauvages partis à la conquête de l'Ouest...

5.

Jenny Corban avait l'habitude de faire un solide petit déjeuner, car elle n'avait pas toujours le temps de déjeuner, et qu'elle dînait souvent très tard.

Des céréales, des fruits, des œufs à la coque… Tout en mangeant, elle feuilletait les journaux du matin. Et dès qu'elle voyait la moindre référence faite au Boston Harbour Hospital, elle découpait l'article en question. Cela faisait partie de son travail.

Tous les quotidiens parlaient de la mort de Greg Owen. La plupart s'étaient contentés de reprendre intégralement le bref communiqué de l'hôpital. Certains avaient cependant étoffé le texte. Ici, un expert donnait son avis sur les dangers de l'anesthésie générale. La femme de

Greg Owen, qu'un journaliste avait réussi à interviewer pour le compte d'un autre journal, assurait que son mari était en bonne condition physique. Le Dr James Karnes, qui connaissait Greg Owen depuis des années, affirmait ailleurs que l'ancien footballeur ne s'était jamais plaint de troubles cardiaques. « Certes », ajoutait-il, « Owen, en tant qu'athlète, avait l'habitude de forcer. Peut-être n'a-t-il pas prêté attention à certains signaux d'alarme... Et tout le monde savait ici que Greg Owen n'était pas seulement un grand sportif, mais il était devenu une personnalité très influente à Boston ! Sa mort ne pouvait pas passer inaperçue... N'avait-il pas annoncé, il y a quelques semaines, son désir de se présenter à la mairie ? »

Jenny tourna quelques pages et tressaillit.

Le mystérieux Rafael à l'hôpital.

Ce gros titre s'étalait en haut de deux colonnes. Les yeux agrandis, la jeune femme parcourut le court article signé par Cassie Borden :

Boston Harbour Hospital... gravement atteint... Krystal Shannon à son chevet... Qui est Rafael ?... Agent secret...

— Mais comment a-t-elle pu apprendre cela ? s'exclama-t-elle avec stupeur.

Sans prendre le temps de faire le ménage de son deux pièces-cuisine-salle de bains, Jenny mit les journaux sous son bras, attrapa son sac et descendit en courant au parking.

Moins de trente secondes plus tard, elle introduisait sa clé de contact dans le tableau de bord, après avoir tourné le bouton de l'autoradio.

C'était l'heure des nouvelles et l'on ne cessait de parler de Greg Owen et de Rafael. Les speakers n'y allaient pas par quatre chemins et multipliaient les insinuations déplaisantes. La conclusion était claire : puisque Greg Owen était décédé à l'hôpital Boston Harbour Hospital, Rafael se trouvait forcément en danger de mort. On rappelait aux auditeurs que Rafael s'était intéressé à Boston dans les années soixante ; à l'époque il n'était pas encore cette mystérieuse vedette de cinéma...

Jenny jura à voix haute avant de couper la radio. Elle n'avait pas le courage d'en entendre davantage. Tout en se dirigeant vers l'hôpital, elle se remémora les circonstances de l'admission de Rafael au 4-A. Elle connaissait tous les gardiens, ainsi que chacun des membres du personnel médical ayant pu être en contact avec l'acteur. Elle allait les interroger un par un... Et elle découvrirait d'où provenait l'information. Et que dirait alors le Colonel James ? Même si celui-ci avait mystérieusement disparu...

— Encore faudrait-il que la fuite vienne bien de l'hôpital, marmonna-t-elle.

Elle pinça les lèvres.

— Ce dont je doute...

La fuite venait probablement de plus loin... Les commérages allaient vite dans le monde du cinéma! Surtout quand il s'agissait d'un acteur sans un film visible! Il avait beau raconter qu'il désirait reprendre toute sa carrière à zéro, personne ne l'avait cru. Il devait s'agir d'un canular... Mais pourquoi la CIA? Plusieurs personnes de l'entourage de Rafael devaient être au courant. Et dans ce milieu, certains n'éprouvaient aucun scrupule à monnayer une indiscrétion.

— Je n'ai aucune confiance en Larkin, l'imprésario. Pas plus qu'en Krystal Shannon! L'une est prête à tout pour se faire un peu de publicité, l'autre cache un jeu plus dangereux encore...

Elle arrêta sa voiture devant les grilles du Boston Harbour Hospital et le garde de sécurité s'approcha en souriant.

— Bonjour, mademoiselle Corban!

Le règlement voulait que tous les véhicules soient inspectés. Celui de Jenny comme les autres...

— Depuis la première heure, j'ai été assailli par des journalistes et des photographes, lui apprit-il.

D'un mouvement du menton, il désigna une voiture garée de l'autre côté de la rue.

114

— Ceux-ci ne se sont pas encore découragés. Ils…

— Pas question d'admettre un seul reporter dans l'hôpital ! coupa-t-elle.

— Ils veulent tous savoir si…

De nouveau, elle l'interrompit :

— Oh ! Je n'ignore pas ce qui les amène !

D'un ton plein de fermeté, elle ajouta :

— Bien entendu, vous n'êtes au courant de rien !

— Bien entendu, mademoiselle Corban.

Jenny gara sa voiture dans le parking réservé au personnel et se dirigea d'un pas vif vers son bureau. Sa secrétaire y avait déjà déposé une pile de messages. Tous en provenance de la presse écrite ou parlée…

— Le téléphone n'arrête pas de sonner et les télex pleuvent ! se plaignit la secrétaire. Que dois-je faire ?

— Pour le moment, contentez-vous de prendre les messages.

— Encore un appel…

La jeune fille décrocha et écouta pendant quelques instants son correspondant. Puis elle posa la main sur l'écouteur.

— C'est M. Larkin, l'imprésario de Rafael, fit-elle à mi-voix. Il vous demande… Prenez-vous la communication ?

— Difficile de faire autrement…, soupira Jenny en s'emparant du récepteur.

Elle s'annonça avec brièveté :

— Jenny Corban.

— Vous m'aviez assuré de la plus grande discrétion ! Selon vous, personne ne devait connaître la présence de Rafael à l'hôpital ! Ah, bravo ! Vous avez lu les journaux ? Vous avez écouté la radio ? Vous avez regardé la télévision ? Le Colonel James m'a chargé de vous transmettre son indignation… et son immense déception…

Le ton était brusquement menaçant… Sa colère était justifiée. Mais qu'y pouvait-elle ?

— Je suis désolée, monsieur Larkin. Je…

— C'est tout ce que vous trouvez à dire ? Vous ne vous rendez donc pas compte que Rafael vaut au bas mot cent millions de dollars ? tempêta-t-il, avant d'ajouter : et beaucoup plus encore que vous ne pouvez l'imaginer…

— Monsieur Larkin, je…

— Et vous vous amusez à démolir sa carrière ! Mais comment une pareille fuite a-t-elle pu se produire ?

— Je n'en sais rien. Je viens seulement d'arriver à l'hôpital et…

— C'est *vous* qui avez communiqué l'information à la presse ! accusa-t-il.

Jenny demeura sans voix pendant quelques instants. Puis l'exaspération la submergea.

— Vous exagérez!

— Peut-être pas vous personnellement, corrigea-t-il. Mais l'un des membres du personnel de votre sale hôpital…

Elle l'interrompit.

— Impossible! Le Boston Harbour Hospital a été fondé en 1969, sa construction a eu lieu en même temps que celle du City Hall, et depuis cette date, a acueilli des milliers de personnalités dans le plus grand secret. Des indiscrétions se sont parfois produites. Très rarement, heureusement… Et elles ont toujours été le fait de personnes de l'extérieur!

— Evidemment! ironisa-t-il.

Jenny réussit à garder son calme.

— En dehors de vous, de Mlle Shannon et du Dr Berkovitz, qui était au courant de l'hospitalisation de Rafael? interrogea-t-elle.

— Comment voulez-vous que je le sache?

— Cela pourrait nous aider.

Cette fois, il demeura silencieux. Jenny comprit qu'elle commençait à dominer la situation.

— Avant d'accuser sans la moindre preuve, vous auriez intérêt à faire quelques recherches de votre côté.

— Bien, grommela-t-il. Je vais voir ce que je peux faire… Dites à Rafael de ne pas s'inquiéter. Je m'occupe de tout.

— *Nous* nous occupons de tout, corrigea-t-elle. Nous devons maintenant travailler en coordination et le moindre communiqué à la presse doit être étudié à la fois par vous et moi. Etes-vous d'accord?

— Oui, oui…, fit-il avec mauvaise grâce. Je passerai au Boston Harbour Hospital dans le courant de la journée. A tout à l'heure! D'ici là, j'aurai pris contact avec le Colonel James…

Là-dessus, il raccrocha. De son côté, Jenny reposa l'écouteur sur le combiné, tout en secouant la tête avec agacement. Puis elle se dirigea vers la porte qui séparait son bureau de celui de Brian Hecht.

— Entrez! grommela-t-il après qu'elle eut frappé un coup léger.

Il était au téléphone.

— Docteur Kazinsky, écoutez-moi…

Mais de toute évidence, ce dernier refusait de se rendre à ses arguments. Brian eut un geste impatienté avant de saluer Jenny d'un signe de tête.

— Docteur Kazinsky, vous êtes énervé et en colère. On ne prend pas une décision sur un coup de tête!

— …

— Oui, je comprends votre point de vue. Si c'est vraiment le cas, il est normal que vous soyez bouleversé…

— …

— Mais ce n'est pas à moi que vous devez dire tout cela… C'est vrai, je suis le directeur général du Boston Harbour Hospital, mais Laura Carlyle en est la présidente. Vous devez lui parler en premier lieu !

Il consulta sa montre.

— Soyez devant l'ascenseur privé de la tour Carlyle à huit heures moins cinq. Nous irons prendre le petit déjeuner avec Mme Carlyle… Vous pourrez ainsi lui dire tout ce que vous avez sur le cœur.

La communication se termina là-dessus. Jenny regarda Brian d'un air interrogateur.

— Des ennuis ?

— Kazinsky veut donner sa démission.

— Pourquoi ?

— A cause de Wilkerson…

Elle soupira.

— La journée s'annonce mal ! Kazinsky d'un côté, et de l'autre…

— Rafael, oui, je suis au courant.

Il reprit le téléphone.

— Excusez-moi un instant…

Il appela Rosella, la secrétaire de Laura Carlyle.

— Le Dr Kazinsky parle de démissionner, lui apprit-il. Puis-je l'amener chez Laura à l'heure du petit déjeuner ? Entendu ? Parfait… Merci !

Après avoir raccroché, il se tourna vers Jenny.

— Oui, quelle journée !

— Le téléphone n'arrête pas de sonner. L'ennui, c'est le rapprochement que font les reporters entre le cas de Greg Owen et celui de Rafael. Si Owen est mort sur la table d'opération, pourquoi pas Rafael ?

— Seigneur !

On frappa à la porte et le chef des gardes de sécurité entra. C'était un homme aux cheveux gris, un capitaine de gendarmerie à la retraite en qui Jenny avait toute confiance. Elle remarqua immédiatement son visage soucieux.

— Des ennuis ?

— Le portail principal est littéralement assailli par les photographes. Chaque fois qu'on ouvre, ils cherchent à entrer de force...

— Avez-vous placé des hommes en renfort ? s'enquit Jenny.

— Oui. Pour le moment, nous parvenons à les contenir. Mais ils sont persuadés que nous leur cachons quelque chose. A mon avis, il ne faut pas tarder à leur donner des informations, sinon la situation va devenir explosive.

— Nous allons étudier un communiqué...

Jenny se tourna vers Brian.

— Difficile maintenant de nier la présence de Rafael au Boston Harbour Hospital !

— En effet... Consultez MacClintock et le Dr Berkovitz. Qu'ils s'arrangent pour rédiger un bulletin de santé succinct.

— Mais qui est ce mystérieux Rafael ? s'exclama la jeune femme avec désespoir.

Le vieux capitaine soupira avant de lui répondre.

— Je me souviens d'en avoir entendu parler, en mil neuf cent soixante-neuf, à l'inauguration du City Hall. A l'époque, il était en train de devenir une nouvelle vedette du cinéma... Puis, après son divorce, il a disparu en Bolivie... On savait seulement qu'il affirmait avoir découvert en Amazonie un trésor ancien... Les rumeurs racontaient qu'il serait venu plus tard cacher son trésor à Boston... Des histoires à dormir debout...

— Quoi qu'il en soit, j'attends son imprésario. Il faut qu'il en ait connaissance avant que nous en fassions part à la presse.

Un sourire inattendu éclaira le visage de Brian.

— Vous devriez aussi demander son avis au malade ! Je suis sûr qu'il a son mot à dire sur le sujet, lui aussi.

— Certainement. Et je vais mener une petite enquête pour découvrir d'où provient la fuite. Si c'est un membre du personnel...

Elle laissa sa phrase en suspens, mais la menace était claire.

Laura Carlyle eut assez d'habileté pour ne pas aborder immédiatement le sujet critique avec le Dr Kazinsky. Elle lui posa mille questions concernant sa famille, ses amis, ses distractions préférées...

Peu à peu, le jeune chirurgien se détendit. Et ce fut seulement après le petit déjeuner que Brian jugea le moment venu de parler des événements de la journée.

— Une journaliste a découvert la présence de Rafael au Boston Harbour Hospital et nous sommes maintenant assiégés par la presse.

— Oh non! s'exclama Laura.

— L'ennui, c'est que les reporters font un rapprochement entre la maladie de l'acteur et la mort de Greg Owen.

— Comment cela?

— Owen est mort. Pourquoi pas Rafael?

— Mais c'est terrible!

— Il ne nous reste qu'à admettre la présence de Rafael ici. Nous sommes maintenant obligés de coopérer avec la presse.

— Mlle Corban s'occupe de cela?

— A merveille.

— Vous supervisez son travail?

— Naturellement!

Laura Carlyle se tourna vers le Dr Kazinsky.

— Maintenant, dites-moi pourquoi vous voulez me remettre votre démission.

Cette question abrupte le prit par surprise. Laura Carlyle le fixait droit dans les yeux et, soudain, il se sentit mal à l'aise.

— Pour des raisons personnelles, répondit-il enfin.

Il avait décidé de ne pas parler de la mort de Greg Owen ni des défaillances du Dr Wilkerson.

— Je n'aime guère Boston, prétendit-il. Je préfère retourner à Chicago.

Laura Carlyle le regardait toujours sans ciller.

— Vous savez, docteur Kazinsky, je vieillis... J'ai perdu un peu de ma vivacité d'esprit. Cela ne m'empêche pas d'avoir encore toute ma tête à moi !

Choqué, il protesta :

— Mais jamais je n'ai laissé entendre que...

— Je sais, coupa-t-elle. Ce que je voulais dire, c'est que je me rends compte de tout ce qui se passe ici.

Elle marqua une pause.

— Depuis un certain temps déjà, reprit-elle d'un ton grave, Brian Hecht et moi estimons que le service chirurgie laisse à désirer. Du temps de mon mari, le Boston Harbour Hospital était l'hôpital le plus réputé de Boston. Ce n'est plus le cas, malheureusement, même si nos malades ne s'en rendent pas compte.

Se redressant, elle déclara d'un ton ferme :

— Je n'ai pas l'intention de laisser cette lente détérioration se poursuivre. Il est temps que je reprenne les choses en main.

Fasciné par l'autorité et la vitalité de la vieille dame, Kazinsky demeurait coi.

— Je vais tout d'abord renouveler entièrement l'équipement, annonça-t-elle. Je veux que le Boston Harbour Hospital reprenne la tête de la recherche médicale. La chirurgie de routine, très bien. Mais ce n'est pas tout ! Nous devons être les premiers pour la transplantation d'organes, les opérations à cœur ouvert, la technologie laser… Et cet hôpital deviendra le joyau de toute la ville, dans le monde entier… Vous me suivez ?

— Naturellement.

— Je souhaite grouper une équipe chirurgicale de premier plan. C'est pourquoi je tiens à garder un jeune chirurgien aussi brillant que vous. Pas question de vous laisser partir, docteur Kazinsky !

Brian devina qu'elle commençait à se fatiguer. Il prit à son tour la parole.

— Je comprends que certaines carences du service chirurgie vous aient paru insupportables, docteur Kazinsky. Aujourd'hui, vous nous présentez votre démission… Celle-ci a-t-elle un quelconque rapport avec la mort de Greg Owen ?

Le chirurgien évita son regard.

— Savez-vous quelque chose que nous ignorons ? insista Brian.

De nouveau, le silence pesa. Laura fronça les sourcils.

— Si une faute a été commise, il est de votre devoir de nous l'apprendre !

— Je n'étais pas présent quand Wilkerson a opéré Owen. Le Dr Wilkerson est un chirurgien réputé et...

Laura Carlyle frappa du pied.

— Trêve de discours ! Si vous continuez à vous dérober, je vais être obligée de réviser mon opinion à votre sujet. Je vous jugeais très favorablement jusqu'à présent... Vous comprenez ?

— Oui, madame.

— Alors ?

Kazinsky soupira profondément.

— Juste avant l'opération, un... une personne est venue me voir. Selon ce... cette personne, les douleurs ressenties par Greg Owen étaient d'origine cardiaque et n'avaient rien à voir avec sa hernie hiatale.

— Il souffrait de troubles cardio-vasculaires ?

— Probablement. Le... la personne qui m'a parlé de cela voulait ordonner un électrocardiogramme avant l'opération. Le Dr Wilkerson s'y est refusé.

Laura Clarlyle s'éclaircit la gorge.

— Qu'avez-vous fait après avoir appris cela?

— Rien.

Il baissa la tête.

— Voilà pourquoi je me sens coupable. J'aurais dû aller trouver le Dr Wilkerson, et...

— Et il vous aurait mis dehors! coupa Brian.

Il se tourna vers Laura.

— Ces deux-là ne s'entendent guère.

— Je veux bien le croire, murmura-t-elle. Mais dites-moi, docteur Kazinsky. Aviez-vous l'impression que Greg Owen était en danger?

— Honnêtement, non. Selon moi, le Dr Wilkerson savait ce qu'il faisait. On ne peut pas dire qu'il manque d'expérience! Peut-être avait-il déjà fait pratiquer un électrocardiogramme et ne s'était pas donné la peine de l'expliquer à l'interne? Pas un instant je n'ai pensé qu'il comptait sur la chance... Pourquoi ne pas prescrire un examen aussi banal qu'un électrocardiogramme s'il y a le moindre doute?

Laura se leva brusquement.

— Incroyable! Oh! Le vieil imbécile! A cause de son irresponsabilité, un être humain a trouvé la mort et...

— Laura!

Brian l'obligea à se rasseoir.

— Calmez-vous. Cela ne sert à rien de se mettre en colère!

126

Des larmes brouillaient maintenant les yeux très bleus de Laura Carlyle.

— Qui vous a raconté tout cela, docteur Kazinsky ? interrogea-t-elle.

— J'ai promis de respecter le secret... Et j'en ai déjà trop dit ! Le... la personne qui m'a parlé a très peur. Elle risque sa carrière dans cette histoire !

— Mais moi, je veux lui donner une médaille !

— Je sais de qui il s'agit, assura Brian. C'est Kimberly Chung, n'est-ce pas ? Je l'ai interrogée après... l'accident et j'ai eu l'impression qu'elle me cachait quelque chose.

Kazinsky contempla ses mains crispées.

— Que va-t-il se passer maintenant ?

Brian Hecht et Laura Carlyle échangèrent un coup d'œil.

— Je ne peux pas vous le dire maintenant, fit enfin cette dernière. Nous allons discuter de tout cela et prendre une décision.

Elle haussa la voix.

— Mais écoutez-moi bien, docteur Kazinsky ! Je refuse votre démission pour le moment. Vous continuez comme si de rien n'était... Surtout, ne mettez personne au courant de notre entrevue. Et tâchez d'être patient, car la patience est toujours récompensée.

La sonnerie du téléphone grésilla et Mac Mac-Clintock s'empara du récepteur.

— Oui ?

— Hillary George, docteur. Rafael a toujours de la fièvre. Sa température a encore monté cette nuit. Le thermomètre marque maintenant 42°3.

— Merci, Hillary. Je vais monter...

Il raccrocha et se mit à faire les cent pas dans son bureau. 42°3... C'était énorme pour un adulte ne présentant par ailleurs aucun autre symptôme. Si le thermomètre montait encore...

MacClintock s'arrêta devant l'écran lumineux où l'on pouvait lire les derniers résultats des examens pratiqués sur le malade du 410.

Toutes les analyses imaginables avaient été faites. Aucune n'avait apporté de résultat tangible. Bizarre...

Rafael n'avait jamais été malade — à part la varicelle et la rougeole lorsqu'il était enfant. C'était un homme de trente-deux ans en parfaite condition physique... Les examens n'avaient pas permis de détecter la moindre infection. Rien ! Alors, d'où venait cette fièvre qui le minait ?

Jenny consulta le registre soigneusement tenu à jour. L'on y consignait toutes les entrées et sorties du 4-A. Au cours des vingt-quatre dernières heures, nombreux avaient été les visiteurs ! Surtout chez le prince saoudien. Il avait reçu plusieurs de ses collaborateurs et différents membres de sa famille. Sans compter les infirmières privées et les médecins spécialement attachés à son service...

Gloria Norman avait eu elle aussi plusieurs visites — toutes autorisées. Jenny secoua la tête avec incrédulité. L'actrice tenait beaucoup à garder cette opération esthétique secrète. Alors pourquoi faisait-elle venir tant de monde à son chevet?

Seuls Larkin et Krystal Shannon étaient venus voir Rafael la veille. Personne d'autre...

Par contre, personne n'avait pénétré chez l'agent secret, à l'exception d'un membre du FBI.

Jenny soupira. Si la porte du 410 était restée par hasard entrouverte, n'importe qui avait pu apercevoir Rafael et répandre la nouvelle.

— Quelle tâche impossible! murmura-t-elle. Comment réussir à garder un secret quand tant de gens vont et viennent dans les couloirs?

Elle se rendit ensuite dans le petit bureau où Hillary George se trouvait seule.

— La presse a été informée de la présence de Rafael au Boston Harbour Hospital. Etes-vous au courant?

— Oui, bien sûr.

— Qui a pu..., commença Jenny.

— Je ne vois pas.

Jenny sourit en la menaçant du doigt.

— Vous, peut-être ? Je vous ai placée en tête de ma liste des suspects…

Elle redevint sérieuse.

— Je ne connais pas cette Leigh Mariner.

— J'en réponds, affirma Hillary. C'est une jeune infirmière très consciencieuse. On peut compter sur elle.

— Bavarde ?

— Au contraire. D'une discrétion à toute épreuve. C'est la raison pour laquelle on l'a mise au 4-A. Je l'ai moi-même recommandée…

Jenny ne paraissait pas convaincue.

— Bien, fit-elle du bout des lèvres. Il faut cependant que quelqu'un ait prévenu Cassie Borden !

Mac MacClintock apparut au bout du couloir et se dirigea vers la chambre 410. Son visage était sombre.

Jenny le rejoignit.

— Je peux vous accompagner, docteur ?

— Pourquoi pas ? grommela-t-il sans enthousiasme.

Il se tourna vers Hillary et lança :

— Apportez-moi son dossier !

Jenny pénétra dans la chambre de Rafael sur les talons du grand patron du service médecine.

L'acteur, étendu sur son lit, respirait péniblement.

Il ouvrit les yeux quand le médecin se pencha au-dessus de lui.

— Comment vous sentez-vous, monsieur Rafael? demanda MacClintock.

— Pas très bien.

Hillary reprit sa température.

— 40°2, annonça-t-elle. Cela baisse un peu...

— Qu'est-ce que j'ai? La grippe?

— J'aimerais bien! soupira le médecin. Dites-moi, monsieur Rafael, avez-vous fait ces derniers temps quelque chose sortant de l'ordinaire?

— Je fais toujours des choses qui sortent de l'ordinaire... Mais j'ai déjà été hospitalisé. C'est cela sortir de l'ordinaire, pour vous?

Mac sourit.

— Je parle des quelques jours précédant votre hospitalisation. Vous êtes-vous par hasard rendu dans un pays étranger?

— Oui.

— Et vos activités? Rien de différent?

— Toujours les mêmes...

— Auriez-vous modifié vos habitudes alimentaires?

— Non plus.

Patiemment, MacClintock poursuivit son interrogatoire. Mais Rafael ne l'aidait guère.

— Au cours des douze derniers mois, avez-vous été malade?

— Non... Ah, si! J'ai eu un rhume terrible cet hiver.

— Rien d'autre?

— Rien d'autre...

— Avez-vous déjà eu des accès de fièvre comme celui-ci?

— Jamais.

— Dans votre famille, quelqu'un est-il sujet à des crises de ce genre? Vos frères et sœurs?

— J'étais enfant unique.

— Et vos parents?

— Ce ne sont pas mes vrais parents: j'ai été adopté.

L'expression du médecin ne changea pas. Intérieurement, il jurait... Rien ne le mettait sur une piste quelconque. Pas plus les analyses que les questions!

Rafael laissa retomber sa tête sur l'oreiller. Il paraissait épuisé.

A ce moment-là, Krystal Shannon fit son entrée dans la chambre, suivie par Larkin. L'actrice se précipita vers le lit du malade.

— Oh! Rafael, mon pauvre chou!

Elle l'embrassa sur la joue. Jenny, qui avait observé la scène, ne put s'empêcher de ressentir une pénible impression. Méfiance et antipathie se disputaient en elle...

Krystal Shannon portait un tee-shirt trop étroit, un pantalon blanc aussi collant qu'une seconde peau, des sandales à talons aiguilles... et un maquillage tapageur. De toute évidence, elle s'était préparée pour les photographes qui se pressaient à l'entrée de l'hôpital.

Larkin pressait de questions le Dr MacClintock.

— Avez-vous enfin trouvé ce qu'a Rafael?

— Rafael? Oh! Vous parlez de M. Rafael?

— Oui, évidemment! Qu'est-ce qu'il a?

Mac haussa les épaules.

— J'aimerais pouvoir vous le dire.

— C'est incroyable! Vous n'avez pas encore établi de diagnostic?

— Pour le moment, non.

Le médecin eut un sourire amer.

— Oh! Je peux vous dresser une liste interminable de tous les maux dont il ne souffre pas. Mais je n'ai pas encore réussi à découvrir ce qu'il a. Sinon une grosse fièvre. Une fièvre inexplicable... Si je croyais à ces fables d'aventuriers, je pourrais vous dire que Rafael est victime d'une malédiction... Comme ces savants qui profanèrent les tombeaux égyptiens, au début de ce siècle, vous vous souvenez... La malédiction de Toutankhamon!

Larkin passa la main sur son front moite.

133

— Est-ce grave, docteur?

— Si la fièvre ne tombe pas, oui, cela peut devenir grave.

— Vous craignez qu'il n'ait attrapé quelque chose de... de mauvais?

— Quand un adulte en bonne santé a un tel accès de fièvre, c'est sérieux.

Larkin semblait de plus en plus inquiet. Comme s'il comprenait le mal mystérieux de Rafael.

— Il faut lui donner des médicaments, voyons! Des piqûres, des antibiotiques, des...

Mac réprima un geste agacé.

— On ne peut pas administrer n'importe quoi.

— Des antibiotiques feraient tomber la fièvre, insista l'imprésario.

— On prescrit des antibiotiques en cas d'infection. Or les analyses sont formelles: M. Rafael n'est atteint d'aucune infection.

— Mais...

Larkin laissa retomber ses bras. Pour une fois, il demeurait sans voix. Il croyait aux miracles de la médecine moderne. Si l'on allait à l'hôpital, c'était pour être soigné.

— Ecoutez, docteur...

Il désigna le lit sur lequel gisait le malade.

— Cet homme, c'est Rafael! Rafael! Il vaut des millions et des millions de dollars! Il faut le guérir! Il faut...

134

— Laisse tomber, Larkin! s'exclama soudain Rafael d'une voix étonnamment claire. Ils font tout ce qu'ils peuvent.

Larkin se tourna vers lui.

— Tu sais ce qu'ils ont fait, Rafael? Ils ont averti la presse de ta présence ici!

Jenny sursauta.

— L'hôpital n'est pas en cause, monsieur Larkin! protesta-t-elle avec colère.

L'imprésario la toisa.

— Bon, bon... Peut-être pas, marmonna-t-il. Mais il faut bien que quelqu'un ait prévenu cette Cassie Borden!

Il redonna son attention à Rafael.

— Maintenant, les reporters font le siège du Boston Harbour Hospital. Tout juste si nous avons pu entrer. Ils sont des dizaines à piétiner devant le portail... Rafael malade! Tu imagines les titres? Ce genre de publicité n'est pas à souhaiter, crois-moi! Ils veulent savoir qui tu es, ils commencent à fouiller ton passé...

Krystal Shannon caressa la main de l'acteur.

— Tout le monde t'aime, tu sais. Tout le monde veut que tu guérisses.

— Nous les premiers, grommela Mac en se dirigeant vers la porte.

Il commençait à en avoir assez de cette comédie. Jenny l'arrêta.

— Attendez! Il faut que nous étudiions ensemble un communiqué à l'intention de la presse. Impossible de nier plus longtemps la présence de Rafael au Boston Harbour Hospital!

— Dites qu'il souffre d'une fièvre dont l'origine jusqu'à présent reste inconnue.

— Je peux dire qu'il a eu plus de 40° mais que sa température commence à baisser?

— Oui...

Jenny savait que les journalistes ne se contenteraient pas de si peu.

— Accepterez-vous de répondre aux questions si j'organise une conférence de presse, Mac?

— Jamais!

Là-dessus, il disparut. Jenny se tourna vers Larkin.

— Puis-je vous demander de m'accompagner dans mon bureau? Nous avons du travail...

Une heure et demie plus tard, suivie par Larkin et Krystal Shannon, Jenny se dirigea vers le grand portail de l'hôpital.

Elle se serait volontiers contentée de distribuer un bulletin de santé succinct à tous ceux qui patientaient. Larkin ne l'avait pas entendu de cette oreille. Il tenait à rencontrer reporters et photographes. Il aurait voulu utiliser à ces fins la salle de conférences de l'hôpital. Jenny s'y était

136

refusée. Pas question de transformer le Boston Harbour Hospital en cirque. D'autant plus que cela donnerait aux journalistes l'impression que Rafael était beaucoup plus atteint qu'on ne le prétendait.

Jenny avait essayé d'écarter Krystal Shannon, mais celle-ci tenait absolument à profiter de l'occasion pour faire parler d'elle. Devant quatre caméras de télévision et une bonne douzaine de photographes, elle se mit à jouer le rôle de l'épouse éplorée mais sachant faire face à l'adversité.

Avec des sanglots de cinéma dans la voix, elle raconta combien Rafael se montrait brave et courageux. Combien elle s'inquiétait... Bien entendu, Larkin renchérissait. Tout le monde devait croire que Rafael était un acteur de cinéma qui avait décidé de recommencer une nouvelle carrière...

— Je ne quitterai pas le chevet de Rafael avant qu'il soit complètement remis ! jura Krystal Shannon.

Assez écœurée, Jenny écoutait tout cela. Après avoir distribué les photocopies du bulletin de santé, elle avait espéré pouvoir rester à l'écart et laisser l'actrice et l'imprésario jouer de la prunelle et des sentiments.

Mais si les journalistes voulaient du spectacle,

ils tenaient aussi à obtenir des informations solides. Et le moment venu de passer aux choses sérieuses, ce fut à Jenny qu'ils s'adressèrent.

— Combien de temps Rafael restera-t-il hospitalisé?

— Impossible de vous répondre à ce stade.

— Pourquoi ne pouvons-nous pas le voir?

— Parce qu'il est malade et que nous limitons au maximum le nombre des visiteurs.

— Pourquoi n'a-t-on pas prévenu la presse de son hospitalisation?

— Parce qu'il tenait à sa tranquillité.

— Qui est-il en réalité? A-t-il été réellement acteur en Bolivie?

— Je ne sais rien...

— Quel est le numéro de sa chambre?

— Je n'ai pas l'autorisation de le révéler.

Les questions continuaient à pleuvoir.

— Pourquoi restez-vous aussi évasive? Qu'a-t-il exactement?

— Personne ne le sait encore.

— Il aurait de la fièvre sans raison?

— Tant de causes peuvent provoquer une grosse fièvre! Jusqu'à présent, les médecins réservent leur diagnostic.

— S'il a de la fièvre, il souffre donc d'une quelconque infection. Laquelle?

— Je l'ignore.

— Allons! Vous en savez plus que vous ne voulez bien le dire! Pourquoi tous ces mystères?

— Il n'y a aucun mystère! protesta-t-elle. Rafael est à l'hôpital depuis seulement vingt-quatre heures. Dès qu'un diagnostic sera établi, vous en serez informés.

Là-dessus, elle pivota sur elle-même et se dirigea vers les grilles, ignorant les questions dont on continuait à la bombarder. Soudain — et sans véritable raison —, elle avait envie de pleurer.

« Que t'arrive-t-il, espèce d'idiote? C'est ton travail! Fais-le et arrête de t'attendrir sur ton sort. »

D'une voix enjouée, Laura Carlyle rappelait au Dr Ernest Wilkerson le bon vieux temps.

Mais le chirurgien n'était pas dupe. Pourquoi la présidente du Boston Harbour Hospital l'avait-elle invité à déjeuner en compagnie de Brian Hecht aujourd'hui? Bien entendu, Rosella Parkins se trouvait là, elle aussi. Elle n'avait pas ouvert la bouche depuis le début du repas mais son expression ne disait rien de bon.

— Mon mari a été si heureux quand vous avez accepté la direction du service chirurgie! s'exclama Laura.

« Mais où veut-elle en venir? » se demanda Wilkerson pour la dixième fois peut-être.

139

Ce flot d'amabilité éveillait sa méfiance. Il connaissait Laura Carlyle... Elle savait s'y prendre pour endormir ceux qu'elle avait l'intention de frapper. Elle les couvrait de compliments et au moment où ses victimes s'y attendaient le moins, assénait le coup de hache...

Allait-elle l'attaquer au sujet de Greg Owen? Dans ce cas, sa riposte était prête. Il déplorait comme tout le monde la mort de l'ancien footballeur mais ne pouvait en être tenu pour responsable. Certes, l'autopsie avait révélé une maladie cardiaque, cependant celle-ci n'avait pas été détectée du vivant de Greg Owen. Comment aurait-on pu soupçonner qu'il avait le cœur en mauvais état alors que jamais il ne s'était plaint? Et puis, il n'avait pas voulu le tuer! C'était une accusation ridicule!

Mais ce que le vieux chirurgien Wilkerson ne savait pas, c'est que d'autres personnes influentes dans cet hôpital n'auraient pas aimé que Greg Owen puisse sortir indemne de cette opération. On voulait qu'il soit éliminé, pour un bon bout de temps... Le temps pour eux de retrouver le trésor dans City Hall! Personne ne devait connaître l'existence de ce trésor dans les piliers de béton du City Hall! Et Greg Owen soupçonnait quelque chose... Et les mains du vieux chirurgien avaient servi d'alibi! Elles l'avaient trahi, pour la première fois de sa vie.

— Vous avez effectué des travaux remarquables, poursuivit Laura Carlyle.

Il étendit une main qui ne tremblait pas.

— Et ma carrière est loin d'être finie ! Voyez... Solide comme un roc !

Elle l'examina en silence puis se leva.

— Allons prendre le café dans le bureau de mon mari...

Avec Rosella et Brian Hecht, il la suivit dans la pièce aux murs couverts de rayonnages surchargés de livres.

« Deux Carlyle le même jour, cela fait beaucoup... », songea-t-il.

Junior Carlyle lui avait en effet téléphoné dans la matinée pour lui demander de le retrouver en fin d'après-midi.

— Au *country-club*, cela vous convient ? Nous prendrons un verre tout en discutant... Il s'agit d'une affaire importante !

Il n'avait pas voulu s'expliquer davantage.

— Tout ce que j'ai dit au cours du repas, je le pense vraiment, Ernest, assura Laura.

— Merci...

Elle sourit.

— J'ai l'intention de commander votre portrait à un artiste en renom. Je le ferai suspendre dans le grand hall à côté de ceux de mon mari et de mon fils. Vous méritez bien cela !

En réalité, elle n'en avait aucune intention.

— C'est... c'est un honneur pour moi, balbutia Wilkerson.

— Vous méritez bien cela, répéta-t-elle avec chaleur.

Il battit des paupières et s'efforça de rire.

— Mais il est un peu tôt pour penser à m'embaumer!

— Pas du tout! Je suis prête à accepter votre démission, Ernest.

Il la regarda avec incrédulité. Jamais elle ne lui avait parlé avec une telle sécheresse. Stupéfait, il jeta un coup d'œil à Brian. Le visage de ce dernier demeurait impénétrable. Alors il se tourna de nouveau vers Laura Carlyle.

— Ma démission? Je n'ai aucune intention de...

— Je sais, Ernest. Cependant le temps est venu...

— Le temps?

— Oui, Ernest. Le temps! Les aiguilles des pendules ont tourné pour vous comme pour moi. J'ai confié la direction générale de l'hôpital à Brian et si j'en garde la présidence, je n'ignore pas que mon rôle est purement honorifique. Bien entendu, vous garderez vous aussi votre poste à titre honorifique!...

Il ouvrit la bouche, la referma, la rouvrit de nouveau...

— Je vous parle en amie, Ernest.

— En amie ! ricana-t-il. Vous avez une façon de tourner les choses !

— Je vous en prie, n'élevez pas la voix. Je comprends votre stupeur. Il n'est jamais agréable de s'entendre dire que l'on vieillit… Cela arrive à tout le monde, hélas. A un certain âge, on perd son habileté et ses réflexes. Sans parfois s'en apercevoir… C'est donc à vos amis de vous mettre en garde !

— Moi ? J'ai perdu mon habileté ?

De nouveau, il étendit sa main devant lui.

— Solide comme un roc, vous dis-je !

Brian s'efforça d'adoucir les angles.

— Vos qualités de chirurgien ne sont pas en cause. Nous vous demandons seulement de laisser la direction de votre service à un homme plus jeune.

Un silence pesa. Le regard de Wilkerson allait de Brian à Laura.

— Vous me racontez des histoires, tous les deux ! grommela-t-il enfin.

— Ernest !

— C'est à cause de Greg Owen, n'est-ce pas ?

Brian haussa les sourcils, surpris de l'entendre parler de la mort du footballeur.

La voix du chirurgien monta.

— Owen souffrait d'une affection cardiaque.

L'autopsie l'a confimé. Mais qui pouvait le savoir? Pas une seule fois il ne s'est plaint.

— Owen s'est plaint de douleurs dans la poitrine, lui rappela Brian.

— Sa hernie hiatale.

— Quelqu'un a eu des doutes et a voulu faire un électrocardiogramme.

Sa voix se fit menaçante.

— Voulez-vous vraiment que nous discutions au sujet de la mort de Greg Owen, docteur?

— C'est... c'est honteux!

Il se leva avec agitation. Laura Carlyle le força à se rasseoir.

— Je vous en prie, Ernest! Nous sommes de vieux amis... Nous n'allons pas nous brouiller pour si peu. Tâchez de comprendre notre point de vue.

Elle lui tapota la main.

— J'ai demandé à Rosella de préparer votre lettre de démission. Vous n'aurez qu'à la signer...

Elle fit un signe à sa secrétaire et cette dernière apporta aussitôt un feuillet dactylographié. Wilkerson s'en empara, le mit en boule et le jeta au travers de la pièce.

— Honteux! répéta-t-il. J'étais loin de m'attendre à un pareil coup bas!

Il se redressa.

— Auriez-vous oublié que je possède 5 % des actions et...

— Vous en touchez les revenus et disposez du droit de vote correspondant, coupa Laura Carlyle. Mais elles ne vous appartiennent pas en propre !

— Si vous voulez me jeter dehors, il faudra réunir le conseil d'administration. Ne vous attendez pas à ce que je vote mon renvoi !

Elle soupira.

— J'avais espéré éviter une scène de ce genre. Si vous aviez accepté de me donner votre démission dignement, en acceptant les honneurs qui vous sont dus, nous...

Il s'esclaffa.

— Les honneurs qui me sont dus ! Je vous en prie ! Qui voulez-vous mettre à ma place ? Cet imbécile de Kazinsky ? Pas question ! Je lutterai jusqu'au bout pour garder mon poste.

« Et c'est ma seule chance de retrouver ce trésor... », mais cela, personne ne l'entendit. Junior Carlyle avait pu écouter toute la conversation, caché dans une pièce voisine, l'oreille collée contre la mince cloison de plâtre...

6.

Sac Vuitton, chaussures Gucci, manteau de fourrure, impeccablement coiffée, impeccablement maquillée, la jeune femme qui apparut sur le seuil de cette élégante boutique ne semblait pas avoir de soucis d'argent.

Elle s'arrêta pour laisser deux Arabes passer, tout en regardant autour d'elle. Elle cherchait la limousine qui venait de l'amener dans ce magasin.

Un taxi s'arrêta à sa hauteur. Le passager, un grand blond vêtu avec décontraction, en surgit et l'apostropha avec colère :

— C'est ça que tu veux vraiment, Katy ?

— Non, non, non ! Coupez !

Miles Hathaway se leva péniblement et, en traînant la jambe, se dirigea vers les deux acteurs.

A plus de quatre-vingts ans, le célèbre metteur en scène continuait à diriger des films… Déjà, avec quatre Oscars et un nombre incroyable d'autres récompenses, il faisait partie de la légende hollywoodienne.

Il faisait très chaud cet après-midi-là sur les collines de Beacon Hills. Pourtant Miles Hathaway portait un gros chandail sous son pardessus.

— Monsieur Redford, marquez une pause avant de parler. Et mettez l'accent sur *veux*, pas sur *vraiment*. Dites : « C'est ça que tu *veux* vraiment », et pas : « C'est ça que tu veux *vraiment* ». Vous comprenez ?

Une quinte de toux le secoua.

— Quant à vous, mademoiselle Streep, réagissez un peu plus ! Vous êtes étonnée de le voir, mais surtout fâchée. Oui, fâchée… En même temps, vous devez manifester votre joie de le revoir. Car au fond de vous-même, vous espériez qu'il essaierait de vous retrouver…

Le vieil homme tapota amicalement l'épaule de l'actrice.

— Reprenons cette séquence.

En se dirigeant vers la caméra, il trébucha et se pencha en avant, en proie à un nouvel accès de toux, plus violent encore que le précédent. Un assistant se précipita.

Le metteur en scène réussit à se redresser.

— Ce n'est rien…

Il fit quelques pas mal assurés vers son siège.

— Reprenons cette séquence, répéta-t-il.

Le Dr Riesling, son médecin personnel, s'interposa.

— Une autre fois. Vous en avez fait assez aujourd'hui. Vous êtes épuisé…

— Moi? Epuisé? Quelle bêtise…

Hathaway voulut repousser le médecin. Il vacilla et soudain s'effondra. Des cris de stupeur s'élevèrent parmi la foule de curieux contenue à peu de distance du lieu de tournage par des barrières.

Aidé par l'assistant, le médecin allongea le metteur en scène sur le trottoir. Il s'agenouilla à ses côtés et sortit son stéthoscope. L'examen dura à peine quelques secondes.

— Pouvez-vous appeler une ambulance? demanda-t-il d'un ton grave. Je veux qu'on le transporte immédiatement au Boston Harbour Hospital.

Cassie Borden ne se tenait plus de joie. C'était bien la première fois que le rédacteur en chef de son journal la convoquait pour la féliciter!

— Bravo! Vous avez réussi un scoop de première classe avec l'affaire Rafael. Nous avons envoyé un reporter en Bolivie pour enquêter sur son passé.

— Merci.

— Mais la suite des événements dépasse votre petite colonne de potins. Vous allez désormais travailler sur cette histoire en collaboration avec Bill Gwynn.

La journaliste adressa un coup d'œil méfiant à l'homme qu'on lui avait présenté cinq minutes auparavant. Elle n'aimait pas le genre décontracté des reporters d'aujourd'hui. Frais émoulus de l'université, trop sûrs d'eux, trop à la page… Ces jeunes loups aux dents longues voulaient tout, et tout de suite.

— Que savez-vous du Boston Harbour Hospital? lui demanda le rédacteur en chef.

— Pas grand-chose, admit-elle. Il faut montrer patte blanche pour y pénétrer.

Elle sourit.

— Et pour obtenir des informations, c'est encore plus difficile! On l'appelle l'hôpital des riches et des puissants… Il paraît que les tarifs sont prohibitifs. Et on raconte surtout qu'il est théâtre d'une lutte sans merci pour le pouvoir de toute la ville. La conquête de Boston passe par le Harbour Hospital!

— Cassie, je voudrais que vous communiquiez à Bill Gwynn tout ce que vous avez appris au sujet de cet hôpital. Il va écrire une série d'articles sur le Boston Harbour Hospital. C'est le moment ou jamais! Songez qu'il a été fondé en… en…

150

— En 1969, en même temps que notre City Hall, s'empressa de dire Bill Gwynn.

« Le petit idiot tient à montrer qu'il a potassé son sujet », songea Cassie en réprimant une grimace.

— Ils ont eu le temps, en effet, de transformer l'endroit en place forte ! Gwynn, nous trouverons le moyen de vous y faire entrer et vous percerez tous leurs secrets !

Cassie Borden était bien décidée à collaborer le moins possible. L'histoire Rafael lui appartenait. Personne ne la lui prendrait… Elle avait maintenant ses sources d'information. Après tout le mal qu'elle s'était donné pour les obtenir, pas question de les offrir à Gwynn sur un plateau d'argent ! Qu'il se débrouille… Quant à elle, elle allait leur montrer à tous ce qu'elle valait !

Krystal Shannon regarda la jeune fille en blouse blanche glisser un thermomètre dans la bouche de Rafael avant de lui prendre le pouls et d'en compter les pulsations.

Sans véritable raison, Krystal Shannon détestait cette infirmière. Comment s'appelait-elle, déjà ? Ah oui ! Leigh Mariner. Drôle de nom. Un vrai nom d'actrice…

Leigh prenait maintenant la tension du malade. Krystal Shannon continuait à l'observer sans aménité. Elle n'avait jamais pu supporter les femmes comme celle-ci. Minces, élégantes sans affectation, avec des cheveux sains et brillants, des cils trop longs et trop fournis… Bien entendu, elles se maquillaient à peine. Et elles ne portaient pas de bijoux. Leur soi-disant bon genre était terriblement affecté, au fond.

Mais les hommes s'y laissaient prendre, ces idiots!

Soudain Rafael poussa un grognement de douleur et s'arqua dans le lit, s'efforçant d'atteindre sa jambe droite.

— Rafael chou, que t'arrive-t-il? s'écria Krystal Shannon. Tu as mal?

— Une crampe dans la jambe…

Il grogna de nouveau. L'actrice voulut s'approcher du lit mais l'infirmière avait été plus rapide.

— Laissez-moi faire.

Elle souleva le drap et commença à masser le muscle douloureux.

— Cela va mieux, monsieur Rafael?

— Un peu.

Krystal, debout au pied du lit, assistait sans mot dire à la séance de massage.

Leigh Mariner avait de très belles mains aux ongles courts. Pas de vernis, naturellement!

L'actrice crispa les poings. Soudain, elle avait l'impression d'être inutile. Et pas du tout à sa place…

152

Les femmes comme cette Leigh Mariner réussissaient toujours à la faire se sentir de trop.

Vexée, elle alla se rasseoir dans son fauteuil.

— Vos muscles semblent moins noués, remarqua Leigh.

— En effet. Merci...

Rafael se rallongea avec un soupir. Puis il se tordit de nouveau avec un cri de douleur.

— Encore une crampe! Dans la cuisse, cette fois!

C'était plus que Krystal Shannon pouvait en supporter. Furieuse, elle se leva et quitta la pièce.

Roberta Hecht n'était pas rentrée chez elle la veille. Elle avait passé la nuit chez sa mère. Et l'après-midi aussi... Dawes Banning était revenu la voir et elle n'avait pas su lui résister. Il se montrait tellement empressé, tellement ardent... Pourquoi ne s'offrirait-elle pas un peu de bon temps, elle aussi? Brian ne se gênait pas, lui...

Elle regrettait maintenant d'avoir cédé à Dawes Banning. La nuit précédente, elle avait trop bu et s'était laissé entraîner. Après cette seconde expérience, elle savait qu'il n'y en aurait pas de troisième.

Il venait enfin de partir. Sans hâte elle prit une douche et se rhabilla. Puis elle descendit dans le vaste salon et s'installa devant l'écran géant de télévision. Mais elle ne faisait pas attention aux images qui défilaient devant ses yeux.

« Je ne suis pas faite pour les cinq à sept... Pas du tout! » se dit-elle.

Pourtant, beaucoup de ses amies trompaient leur mari sans le moindre remords. Ce n'était pas son cas. Elle se sentait salie. Elle avait l'impression d'avoir été traînée dans la boue. Pourquoi une telle réaction?

La sonnerie du téléphone retentit. Elle décrocha d'un geste absent.

— Allô?

— Madame Hecht?

— Oui...

— J'espérais bien vous trouver chez votre mère.

Roberta ne reconnaissait pas cette voix féminine.

— Qui est au bout du fil?

— Nous avons eu l'occasion de nous rencontrer hier soir à la réception organisée par votre mère. Je suis Cassie Borden. Je travaille pour...

— Je sais qui vous êtes, coupa Roberta.

Elle ne se souvenait pas, cependant, de lui avoir parlé la veille. Mais les invités de Constance Carlyle étaient nombreux... Et elle avait tellement bu!

— J'aimerais vous parler, madame Hecht. En privé... Je me méfie des téléphones, voyez-vous.

Roberta pressentit le danger et s'inquiéta.

— Vous devez me confondre avec ma mère. C'est elle qui peut vous donner des informations concernant votre colonne. Moi, je ne fais pas partie de l'élite de la ville.

— Je connais très bien votre mère ! Transmettez-lui donc mes amitiés. Mais c'est vous que je veux voir.

— Je n'ai absolument rien à vous apprendre !

— Si, justement ! Vous avez vos entrées au Boston Harbour Hospital. Et celui-ci fait la une des journaux en ce moment. D'abord Greg Owen, puis Rafael, et maintenant Miles Hathaway ! Savez-vous qu'on vient de l'hospitaliser ?

— Non, je n'étais pas au courant.

— Le pauvre est mal parti...

— Quelle est la raison de votre appel ? s'enquit Roberta avec une certaine impatience.

— La femme du directeur général du Boston Harbour Hospital pourrait me fournir des informations très intéressantes ! Mes lecteurs...

— Désolée, c'est impossible.

Roberta eut un frisson.

— J'ai un rendez-vous et je suis déjà en retard. Excusez-moi, mais...

— Très bien. Dans ce cas je n'insisterai pas. Je

vous demanderai seulement de lire ma colonne demain matin...

— Votre colonne?

— Oui, un petit paragraphe vous y sera personnellement consacré.

— A... à moi?

— Laissez-moi vous le lire... *Parmi les nombreux invités qui se pressaient dans les salons de Constance Carlyle, on pouvait voir sa fille, la ravissante Roberta Hecht, épouse du séduisant Brian Hecht, directeur général du Boston Harbour Hospital. Ce dernier, trop pris par ses responsabilités, n'avait pu assister à la réception. Sa femme ne semblait cependant pas s'ennuyer en compagnie de l'acteur Dawes Banning, que certains comparent déjà à Clint Eastwood. Tout au long de la soirée, Roberta et Dawes n'avaient d'yeux que l'un pour l'autre... Et quand ils ont disparu — ensemble...*

Roberta tremblait si violemment qu'elle avait peine à parler.

— Où... où voulez-vous me voir? Et... quand?

Ernest Wilkerson se mit en tenue de golf avant d'aller retrouver Junior Carlyle au bar du *country-club*. Tous deux étaient membres de ce club très sélect. De plus, ils s'asseyaient ensemble à la table du conseil d'administration du Boston Harbour Hospital. Personne ne pouvait donc s'étonner en les voyant prendre un verre ensemble.

Ils se saluèrent chaleureusement. Un peu trop pour de simples connaissances, selon Wilkerson. Puis ils s'installèrent à une table et se mirent à échanger quelques banalités. La conversation roula d'abord sur le golf. Junior Carlyle y avait-il jamais joué? Wilkerson en doutait. On le voyait parfois au bar, mais pas sur le *green*.

Tout en discutant, le chirurgien étudiait son vis-à-vis.

« Dieu, qu'il est gros! » se dit-il avec dégoût. « Et cette perruque ridicule... »

— Nous devons avoir à peu près le même âge, tous les deux, remarqua soudain Junior Carlyle.

Wilkerson eut un sourire froid.

— Bonne raison pour éviter d'en parler!

Junior Carlyle éclata de rire.

— Vous ne manquez pas d'humour, docteur! Je me souviens très bien du jour où mon père vous a proposé un poste au Boston Harbour Hospital. C'était très intelligent de sa part de s'assurer la collaboration d'un homme de votre envergure...

Curieux. C'était la seconde fois aujourd'hui qu'on le caressait dans le sens du poil...

— Merci, fit Wilkerson du bout des lèvres.

— Oh! Je ne cherche pas à vous faire de

157

compliments. Je dis seulement la vérité. Voyez-vous, j'ai toujours pensé que vous n'étiez pas utilisé à la mesure de vos capacités.

Wilkerson demeura silencieux. Il attendait la suite...

— Je n'ai jamais réussi à m'entendre avec Laura! grommela Junior Carlyle. Oh! Je reconnais qu'elle était jolie et je peux comprendre que mon père ait perdu la tête...

Il alluma une cigarette et, après en avoir tiré une ou deux bouffées, l'écrasa dans le cendrier. Sa main tremblait.

— Cette femme a complètement bouleversé ma vie!

Il jeta un bref coup d'œil au chirurgien.

— Avez-vous connu ma mère?

— Non.

— Une grande actrice du muet! Malheureuse-ment, on n'a pas su reconnaître son talent.

Il haussa les épaules en soupirant.

— Revenons-en au Boston Harbour Hospital. Ma *belle-mère*...

Un frisson le parcourut lorsqu'il prononça ce mot.

— Ma belle-mère le dirige à sa façon. Sans pratiquement jamais me consulter! Or je consi-dère cet hôpital comme un monument érigé à la gloire de mon père. Je n'ai pas l'intention de rester sans rien faire tandis qu'elle le conduit droit à sa perte !

Wilkerson s'étonna intérieurement de voir cet homme se passionner pour une cause.

— Ce n'est pas à moi de vous apprendre ce qui se passe là-bas ! poursuivit Junior Carlyle. Vous savez qu'elle a confié la direction générale à cet incapable de Brian Hecht. L'idiot a nommé responsable de la sécurité une petite blonde complètement nulle... Et vous voyez le résultat de cette politique ! Je peux vous assurer que, du vivant de mon père, l'incognito des patients était respecté. Une histoire comme celle de Rafael n'aurait jamais pu se produire... D'autant plus que Rafael sait beaucoup de choses sur Boston, trop de choses...

Il arrêta un instant de parler pour reprendre haleine.

— Et maintenant, le Boston Harbour Hospital est plein de jeunes médecins pas très compétents qui font la pluie et le beau temps. De vrais gosses... Tout cela est mauvais. Pire, dangereux ! Parfois je me dis que vous êtes le seul à connaître votre métier dans cet hôpital.

Junior Carlyle se redressa d'un air important.

— Le moment est venu pour moi d'assumer un rôle plus actif. Je ne veux pas voir les choses aller à vau-l'eau sans lever le petit doigt. L'œuvre de mon père doit être respectée.

Cette fois, il fixa Wilkerson droit dans les yeux.

— J'ai l'intention de prendre le contrôle du Boston Harbour Hospital. Une fois ce premier pas accompli, je mettrai de l'ordre dans ce panier de crabes. Mon père pourra être fier de moi!

Le chirurgien ne disait toujours rien. Mais il n'en pensait pas moins... Bizarre! Pour la deuxième fois aujourd'hui, on évoquait devant lui la mémoire d'Oliver Carlyle. Laura plaçait son défunt mari sur un piédestal mais lui, Wilkerson, savait à quoi s'en tenir... Le fondateur du Boston Harbour Hospital n'avait rien d'un philanthrope. Ce n'était même pas un bon médecin. On pouvait seulement lui reconnaître assez de flair pour avoir eu l'idée de construire un hôpital de luxe à l'intention des riches et des puissants. Là s'arrêtait son œuvre... Pas tout à fait. Mais qui savait que le vieux Oliver Carlyle connaissait le secret du City Hall?

— Mais je ne peux mener à bien une tâche semblable sans être sérieusement épaulé, reprit Junior. Constance Carlyle ne demande qu'à m'aider. Nos deux bonnes volontés réunies ne suffiront pas. J'ai besoin de vous!

Wilkerson comprenait enfin où il voulait en venir...

Junior possédait 39 % des actions. En y ajoutant les 10 % de Constance, il arrivait à 49 % —

ce qui n'était pas assez pour prendre le contrôle du Boston Harbour Hospital. Il avait donc besoin de son vote. Les 5 % d'actions que Wilkerson détenait permettraient de retourner complètement la situation. A eux trois, ils pouvaient prendre la direction de l'hôpital! Puis, ils pourraient influer sur les notables de la ville, et effectuer de discrètes sondes dans les fondations du City Hall pour découvrir le trésor.

— Puis-je compter sur vous, docteur?

— Je ne sais que dire...

Wilkerson but quelques gorgées de whisky.

— Il faut que je réfléchisse!

— Bien sûr, réfléchissez. Mais laissez-moi vous faire part de mes intentions, dans le cas où j'arriverais à mes fins. Mon premier geste sera de me débarrasser de Brian Hecht et de le remplacer par un homme capable. Vous!

— Moi?

— Je suis sûr que mon père, s'il avait vécu, vous aurait offert la direction générale du Boston Harbour Hospital. Déjà, il vous avait nommé grand patron du service chirurgie, il vous avait confié 5 % des actions... Il avait de grands desseins pour vous!

Wilkerson termina son whisky d'un trait. Rien de ce que venait de dire Junior Carlyle n'était vrai... C'était Laura Carlyle qui lui avait donné la responsabilité du service chirurgie. C'était elle, également, qui lui avait remis 5 % des actions. Il en percevait les dividendes et disposait du droit de vote correspondant, sans toutefois en être le propriétaire.

— Alors, docteur ?

Wilkerson fit tourner son verre vide entre ses doigts.

— Drôle de monde que celui dans lequel nous vivons…, grommela-t-il enfin.

Il jeta un coup d'œil à sa montre.

— Vous me proposez la direction générale de l'hôpital. Or figurez-vous que, quatre heures auparavant, Laura Carlyle insistait pour que je lui remette ma démission !

Junior Carlyle bondit.

— Seigneur ! J'espère que vous l'avez envoyée promener !

— Exactement.

— Vous avez bien fait ! Vraiment, quelle idée… L'hôpital a besoin de vous !

Il hocha la tête.

— Cette femme ne sait plus ce qu'elle fait. Il faut avoir atteint un état de sénilité avancée pour demander sa démission au seul homme capable de reprendre la barre.

Wilkerson semblait boire du petit lait.

**
*

Brian Hecht passa la tête dans l'entrebâillement de la porte du bureau de Jenny.

— Comment s'est passée la journée?

Elle rejeta une mèche de cheveux couleur de miel en arrière et sourit.

— Je n'ai pas eu le temps de m'ennuyer avec l'arrivée de Miles Hathaway!

— Comment va-t-il?

— Il est toujours en réanimation.

— Vous vous êtes bien débrouillée avec la presse ce matin. Bravo! Je vous ai vue à la télévision... Bon travail!

— Je n'en suis pas sûre. Mais merci quand même... Brian, j'ai à vous parler.

— Au sujet de Rafael?

— Entre autres.

— Et moi, j'ai quelque chose de très intéressant à vous apprendre... Ecoutez, il est déjà tard et cela nous fera du bien à tous les deux de changer d'ambiance. Venez prendre un verre avec moi...

Elle hésita. Elle n'était encore jamais sortie avec Brian. Etait-il raisonnable d'accepter?

— Si vous avez d'autres projets pour la soirée, nous pourrons toujours discuter demain, ajouta-t-il.

Sans tergiverser davantage, elle se leva.

— J'ai une soif terrible, justement!

Dans l'ascenseur qui les emmenait vers le parking du sous-sol, elle regretta de ne pas avoir eu le temps de se remaquiller. Mais il était trop tard pour y penser…

Roberta Hecht avait décidé de tout dire à son mari.

Oh ! Bien entendu, pas question de lui confesser son infidélité. Mais elle pouvait parler du coup de téléphone de Cassie Borden…

« J'ai bavardé un peu avec Dawes Banning, je l'ai trouvé sympathique et amusant. Et maintenant cette horrible commère se livre à un odieux chantage ! » dirait-elle à Brian.

Il saurait comment faire taire Cassie Borden, Roberta en était persuadée.

Son intention était d'aller demander à Brian de l'inviter à dîner. Avec un peu de chance, et si elle faisait preuve d'un minimum d'habileté, peut-être pourraient-ils tout recommencer ? Cette fois, elle se montrerait très calme, très douce, très compréhensive, très…

Elle s'immobilisa au bout du hall. Brian sortait d'un ascenseur. En compagnie de Jennie Corban, évidemment… Cette dernière leva la tête vers lui en souriant. Il la prit par la taille et, ensemble, ils s'éloignèrent.

Folle de rage, Roberta crispa les poings. Puis

elle fit brusquement demi-tour et, faisant claquer ses talons, repartit par où elle était venue.

Brian et Jenny quittèrent l'hôpital dans leurs voitures respectives. Ils se suivirent jusqu'à un bar typiquement anglais que Brian connaissait bien car on y servait une bière importée qu'il appréciait particulièrement.

Jenny en goûta une gorgée et fit la grimace.

— Je préfère un banal gin-tonic! assura-t-elle.

Tout en dégustant son cocktail à petites gorgées, elle fit part à Brian de ses soupçons concernant Krystal Shannon.

— Elle est prête à tout pour obtenir un peu de publicité. Je ne serais pas étonnée si j'apprenais qu'elle a téléphoné à Cassie Borden!

— Arrangez-vous pour qu'elle n'ait pas accès au dossier médical de Rafael!

— Bien entendu.

Elle lui parla ensuite de Bill Gwynn, un reporter qui voulait écrire une série d'articles sur l'hôpital.

— Difficile de l'en empêcher! soupira Brian. Pas question cependant de le laisser se balader partout!

— Il m'a demandé de le recevoir.

— Acceptez s'il insiste, retracez-lui l'histoire de l'hôpital, parlez-lui de notre équipement ultramoderne, du personnel, etc... de son architecture originale... Il paraît d'ailleurs que l'on aurait perdu les plans originaux de l'architecte.

— John Bancock ? L'architecte du City Hall, il est mort quelques jours après les deux inaugurations... On n'a jamais su où étaient passés les plans ; et certains les cherchent encore...

— Tout juste ! Voilà des détails croustillants et sans danger, c'est évident. Mais nous n'allons certainement pas lui en communiquer.

Brian parla ensuite à la jeune femme de la tentative de Laura Carlyle de remplacer Wilkerson par Kazinsky.

— Mais Wilkerson a refusé de donner sa démission, conclut-il.

— Je ne croyais pas Mme Carlyle capable d'une telle dureté, s'étonna Jenny. Elle connaît le Dr Wilkerson depuis si longtemps, comment peut-elle le traiter ainsi ?

— On voit que vous la connaissez mal ! Une main de fer dans un gant de velours...

— Comment a-t-elle réussi à épouser le Dr Carlyle ?

— On raconte qu'elle a brisé son premier mariage. Elle était enceinte avant même qu'il l'épouse... A l'époque, de tels procédés choquaient encore. Mais c'est grâce à l'impulsion de Laura que le Boston Harbour Hospital est devenu

166

ce qu'il est maintenant. Son mari n'était guère compétent et son fils encore moins. Oh ! Elle peut s'amuser à suspendre leurs portraits dans le grand hall... C'est le sien qui devrait être là !

Il consulta sa montre.

— Mais il est déjà très tard... Je comprends pourquoi je meurs de faim. Si nous dînions ensemble ?

— Ce ne serait pas raisonnable.

— Pourquoi ?

Elle évita son regard.

— Votre femme est jalouse de moi. Je m'en suis aperçu l'autre jour...

— Nous nous sommes disputés à cause de vous, justement !

Jenny avala sa salive.

— Les hommes mariés, très peu pour moi !

Il eut un rire sans joie.

— Marié ? Je le suis si peu...

— Brian...

— Pourquoi prenez-vous cet air coupable ? Nous n'avons rien fait de mal, Jenny. Si Roberta laisse la bride sur le cou à son imagination, c'est son affaire !

— Il s'agissait seulement d'imagination ? Votre femme vous aime, Brian. Et elle n'est pas aveugle. Quand une autre femme trouve son mari séduisant, elle s'en aperçoit...

Elle n'osait toujours pas le regarder. Il posa un doigt sous son menton, l'obligeant à relever la tête.

— Mon mariage est un échec, Jenny...

— Vous avez l'air de penser que c'est de ma faute !

— Oui.

— Par exemple ! protesta-t-elle. C'est la première fois que nous prenons un verre ensemble et...

— Vous existez. Cela suffit !

— Par exemple !

Il sourit.

— En travaillant avec vous, j'ai compris qu'il existait des femmes intelligentes, efficaces, capables de contrôler leurs émotions, leurs sentiments... et leur langue !

Sa voix baissa.

— Cela ne les empêche pas de rester féminines... et très jolies !

Jenny soupira.

— Où tout cela peut-il nous mener ?

— Je ne sais pas... Y a-t-il un homme dans votre vie, Jenny ?

— Pas en ce moment.

Elle secoua la tête et ses cheveux dorés dansèrent autour de son visage.

— J'ai eu une aventure. Avec un autre homme

marié! soupira-t-elle. Nous travaillions au *Times* ensemble et la situation n'a pas tardé à devenir impossible. J'ai rompu, quitté le *Times*... et vous avez hérité d'une assistante!

— Curieux comme les choses s'arrangent...

— Parfois.

Elle s'empara de son sac.

— Je ferais mieux de rentrer chez moi, Brian.

— Pour quoi faire?

— Du ménage...

Il la regarda d'un air implorant et elle réussit à se durcir.

— Je vous assure, c'est préférable!

— J'apprécie votre franchise. Je vous en prie, soyez toujours sincère avec moi, Jenny!

— Vous voulez que je vous dise ce que je pense en ce moment? Vous êtes l'homme le plus séduisant et le plus sympathique que j'aie jamais rencontré...

Elle soupira.

— Mais entre nous, rien n'est possible.

Là-dessus, elle se leva et partit, le laissant seul devant sa chope de bière.

— Oui, c'est là..., fit Rafael dans un cri.

En proie à une nouvelle crampe, il se tordait de douleur sur son lit.

Leigh massa les muscles tétanisés de son mollet. Il avait de plus en plus de crampes dans les jambes, mais parfois aussi dans le dos. Sa température dépassait toujours 40°. Aucun médicament ne parvenait à la faire baisser. Et rien ne soulageait ses crampes.

Rafael était très, très malade...

Peu à peu, la crampe disparut. Leigh se redressa.

— Voilà... Vous sentez-vous mieux, maintenant?

Il la regarda sans mot dire. Ses yeux bleus fiévreux semblaient la dévorer...

— Vous êtes très adroite, déclara-t-il enfin. Je pourrais tomber amoureux de vous juste à cause de vos massages!

Elle eut un petit rire nerveux.

— Drôle de raison pour tomber amoureux! lança-t-elle d'un ton faussement léger.

— Vos mains sont extraordinaires...

Il la fixait toujours.

— Leigh..., commença-t-il.

Elle s'efforça de ramener la conversation sur un terrain plus solide.

— Etendez-vous. Avez-vous assez d'oreillers?

— Quand vous me touchez, c'est plus qu'un massage. Beaucoup plus!

— Je vous en prie, monsieur Rafael! Euh... Rafael.

170

Elle avala sa salive.

— Il est normal qu'une certaine... intimité naisse entre un malade et son infirmière. Cela ne veut pas dire que...

— Pour nous, si! coupa-t-il. Vous le savez aussi bien que moi.

De plus en plus mal à l'aise, elle tapota les oreillers.

— Comme vous êtes belle! soupira-t-il.

— Je vous en prie, monsieur Rafael! répéta-t-elle.

Soudain, elle était cramoisie.

— Ne dites pas des choses pareilles, cela me met mal à l'aise. Et imaginez un peu que Mlle Shannon vous entende! Elle serait furieuse, elle qui me déteste tant...

Il eut un geste agacé de la main.

— Ne me parlez pas de Krystal Shannon! Il n'y a rien entre nous. Absolument rien!

— Mais tous les journaux racontent que...

— Il s'agit de publicité, Leigh! Rien d'autre... Larkin est notre imprésario à tous les deux. Il a trouvé ce moyen pour faire parler de nous. Et cela a réussi... Mais j'en ai par-dessus la tête de passer pour un bourreau des cœurs. Je n'ai rien d'un don Juan! Quand je sortirai d'ici, j'enverrai promener Krystal Shannon et Larkin! Et je commencerai enfin à vivre selon mes propres critères... Si Dieu le veut...

L'un des invités de Junior Carlyle pénétra dans le salon en brandissant une bouteille de whisky. Il sortait de la piscine et ruisselait d'eau.

Junior téléphonait.

— Oui, je comprends que vous souhaitiez rendre publique votre offre d'achat… Mais faites-moi confiance ! Patience, patience… C'est un tort de vouloir précipiter les événements. Laissez-moi tout d'abord prendre le contrôle de l'hôpital. Ce n'est plus qu'une question de jours !

— …

— Jamais Laura Carlyle n'acceptera de vendre. Il faut lui forcer la main. Je suis votre seul espoir… Bien ! Parfait… Un peu de patience, vous dis-je ! Vous verrez, tout s'arrangera.

7.

Hillary avait passé une bonne partie de la nuit au chevet de son fils dont l'état s'était brusquement aggravé. Dès qu'elle s'était aperçue qu'il allait plus mal, elle l'avait fait immédiatement transporter au Boston Harbour Hospital. Le petit Tommy bénéficiait de la totale gratuité des soins. Laura Carlyle en avait décidé ainsi.

A sept heures et demie du matin, physiquement et moralement épuisée, Hillary alla trouver Dana Shaughnessy, qui, assistée par deux autres responsables, assurait provisoirement le rôle de directrice du service des soins. On chuchotait dans les couloirs qu'elle était la mieux placée pour être nommée à ce poste si Abby Main ne se rétablissait pas.

Dana Shaughnessy, une femme aux cheveux gris et à l'allure sévère, avait la réputation d'être très dure et la plupart des infirmières la craignaient. Hillary s'était par contre toujours bien entendue avec elle. Peut-être parce qu'elle comprenait combien sa tâche était difficile. Tant qu'Abby Main restait titulaire du poste, Dana Shaughnessy se voyait surchargée de responsabilités, sans pouvoir prétendre en contrepartie à l'autorité qu'un vrai titre lui aurait donnée.

— Je comprends que vous vous fassiez beaucoup de soucis pour votre fils, déclara Dana Shaughnessy.

Elle jouait nerveusement avec son crayon.

— Mais je ne vois aucune raison pour que vous ne preniez pas votre service aujourd'hui, laissa-t-elle enfin tomber d'un ton sec.

Hillary la regarda avec incrédulité. Elle venait de demander un jour exceptionnel de congé et c'était ainsi qu'on la recevait?

— Tommy a besoin de moi. Je veux être près de lui...

Dana Shaughnessy eut un sourire condescendant.

— Je ne crois pas qu'il ait besoin de vous. Il est très bien soigné, vous le savez. Que pouvez-vous lui apporter de plus?

— Mais c'est mon fils!

— Je sais, Hillary! fit l'infirmière en chef avec une certaine impatience. S'il était chez vous, je

174

vous donnerais votre journée, bien entendu. Mais étant donné qu'il se trouve à l'hôpital, cela me semble inutile. Vous serez tout de suite prévenue s'il allait plus mal.

Elle se leva.

— Il faut que vous vous occupiez, croyez-moi! Cela vous empêchera de trop penser.

Un instant, l'idée d'aller trouver directement Laura Carlyle effleura Hillary. Elle y renonça aussitôt et, tête basse, se dirigea vers le 4-A.

Bill Gwynn n'avait aucune intention d'abandonner la partie. Il s'était juré de pénétrer à l'intérieur de l'hôpital et il y parviendrait. A n'importe quel prix...

Naïvement, il s'était d'abord présenté au portail.

— Qui désirez-vous voir, monsieur? lui avait demandé le gardien.

— Rafael.

Après avoir consulté une liste de noms, le gardien avait secoué la tête.

— Je suis navré, mais M. Rafael ne peut recevoir personne en ce moment.

Gwynn avait songé alors à demander à voir Miles Hathaway, le seul autre malade dont il connaissait le nom. Mais l'inflexible cerbère lui aurait probablement répondu la même chose. Et on disait que le célèbre metteur en scène était mourant...

« Comment rentrer dans cette place forte ? » se demanda-t-il.

Escalader le mur ? Oh ! Il en était capable, mais ce serait une dépense d'énergie inutile. Deux photographes s'y étaient essayé la veille et à peine avaient-ils fait quelques pas dans les jardins qu'ils s'étaient vus poliment escorter jusqu'au portail...

De retour au journal, Gwynn examina le problème en tous sens. Soudoyer un employé et tenter de passer avec lui au moment où il irait prendre son service ? Impossible... Tous les membres du personnel devaient porter des badges avec leur photo. D'ailleurs un reporter avait déjà eu l'idée de présenter un faux badge. Il s'était fait immédiatement repérer.

— Tu pourrais en voler un, suggéra un photographe en mettant ses pieds sur le bureau.

— Pour me faire traîner devant les tribunaux ? Merci !

Les sourcils froncés, il continuait à réfléchir.

— J'ai une idée ! s'exclama-t-il soudain.

S'emparant du téléphone, il demanda au standard de le mettre en communication avec Krystal Shannon.

— Maintenant, il ne me reste plus qu'à attendre...

Cinq minutes plus tard, le téléphone sonnait.

— Ici Larkin, l'imprésario de Krystal Shannon. Vous voulez l'interviewer ?

176

— Oui.

— A quel sujet?

— Euh… sa carrière. Elle a pris un envol specta-culaire ces derniers mois.

Autant jouer la carte de l'honnêteté.

— Je voudrais également lui poser quelques questions au sujet de son idylle avec Rafael.

Au bout du fil, un silence pesa.

— Je vois, fit enfin Larkin.

Une autre pause…

— Cela peut se faire. Mlle Shannon ne demande qu'à coopérer avec la presse. Laissez-moi consulter son emploi du temps… Voulez-vous cet après-midi, à quatre heures? Venez à mon bureau, elle y sera.

— Je préférerais la voir à l'hôpital… auprès de Rafael. Cela ferait un meilleur article!

— Vous pouvez mettre une croix sur votre ar-ticle! s'exclama Larkin avec exaspération. A l'hôpi-tal! Si vous croyez être le premier à me proposer cela!

Il raccrocha brutalement et Gwynn jura en contemplant l'écouteur soudain devenu muet.

— Et Dawn Appleton! lança le photographe. Tu devrais essayer de ce côté!

— Dawn Appleton?

Les yeux de Gwynn étincelèrent.

— J'y suis! L'ex-femme de Rafael! Le hasard veut qu'elle soit hospitalisée au Boston Harbour Hospital, elle aussi!

177

Il se frappa le front.

— Quelle idée de génie ! Dawn Appleton...

Cette dernière était la fille d'un architecte. Elle avait fréquenté les meilleures institutions privées de la côte Est avant de se lancer dans le cinéma. Elle avait obtenu quelques rôles mineurs et son étoile commençait à monter. Mais quand, à la suite d'un énorme scandale financier, son père, un architecte de génie, s'était retrouvé en prison, plus personne n'avait voulu la connaître. Surtout pas ses amis de la *jet-set* ! Pour réussir à redorer son blason, elle n'avait pas trouvé mieux que d'épouser une étoile montante du cinéma, Rafael... Mais ils avaient très vite divorcé, c'était en mil neuf cent soixante-neuf, en même temps que les inaugurations du Harbour Hospital et du City Hall... L'architecte Appleton avait d'ailleurs collaboré avec l'équipe de Bancock sur les plans du City Hall.

— Je peux toujours essayer de la joindre au téléphone...

A sa grande surprise, on lui passa l'actrice sans la moindre difficulté. Après s'être présenté, il sollicita une interview. Dawn Appleton ne cacha pas son étonnement.

— Vous voulez m'interviewer ? Moi ? Je n'ai pas tourné depuis une éternité...

— Votre carrière est cependant loin d'être terminée. Il paraît que les films Universal songent à vous confier un premier rôle...

— Vraiment? Mais je suis à l'hôpital!

Gwynn éclata de rire.

— Pas pour toujours, j'espère!

— Non, heureusement. Je pense sortir demain ou après-demain. Je ne m'en plaindrai pas! C'est si cher, ici...

— Alors, cette interview?

Elle hésita et le reporter insista:

— Un peu de publicité vous aiderait à remettre le pied à l'étrier. Cela consoliderait votre image auprès des films Universal.

— Mon imprésario ne m'a encore rien dit...

— Parce qu'il n'est pas au courant! C'est un ami, metteur en scène à Universal, qui m'a appris que l'on songeait à vous pressentir dans les jours à venir. Remarquez, si vous ne voulez pas donner d'interview, moi je m'en moque!

— Si! Cela m'intéresse!

— Dans ce cas, je passerai cet après-midi à l'hôpital. Que devrai-je dire à l'entrée? Je sais qu'ils sont assez stricts pour les visites...

— Oui, ils ont une liste des visiteurs autorisés pour chaque malade. Je vais demander qu'on ajoute votre nom à la mienne...

— Bill Gwynn!

Triomphant, il fit une grimace au photographe qui écoutait cette conversation avec amusement.

— Alors, à cet après-midi, madame Appleton!

— Entendu !

Après avoir raccroché, il sauta de joie.

— Elle va nous laisser entrer tous les deux ? demanda le photographe.

— Seulement moi. Peux-tu me prêter une caméra de poche ? Un appareil facile à dissimuler ?

— Pas de problème.

Accompagnée par Rosella Parkins, Laura Carlyle commença une tournée d'inspection. Cela lui arrivait de temps en temps. Elle se rendait aussi bien à la pharmacie qu'aux cuisines ou au service d'entretien. Elle vérifiait tout et ne manquait jamais d'interroger le personnel. Ces visites étaient suivies d'une foule de commentaires, la plupart du temps critiques. Et Rosella Parkins bombardait ensuite les responsables de ses fameuses « petites notes ».

Laura Carlyle se rendit d'abord à l'étage réservé aux convalescents. Ils n'y restaient en général pas plus de quelques jours avant de quitter l'hôpital. Abby Main, directrice du service des soins en titre et la meilleure amie de la présidente du Boston Harbour Hospital, représentait l'exception à cette règle.

Abby Main et Laura Carlyle avaient le même âge. Elles avaient été engagées en même temps au Boston Harbour Hospital et, très vite, avaient sympathisé. Abby était la seule personne à qui Laura avait confié son amour pour Oliver Carlyle...

Cela lui faisait mal de voir son amie réduite à l'invalidité presque totale. De terribles crises d'arthrite la clouaient sur un fauteuil roulant. Et quelques mois auparavant, une hémorragie cérébrale l'avait laissée à moitié paralysée.

Laura l'embrassa avant de s'asseoir à ses côtés.

— Tu as meilleure mine, assura-t-elle.

— Je vais un peu mieux. Ma sœur m'a proposé d'aller vivre avec elle à Tucson. Je crois que je vais accepter...

— Mais ta sœur est plus âgée que toi!

— Elle a quatre-vingt-sept ans maintenant.

Navrée, Laura lui prit les mains.

— Abby, tu te trouves donc si mal ici? Tu veux imposer ta présence à ta sœur? Je doute qu'elle soit capable de s'occuper de toi...

Les yeux de la vieille infirmière s'emplirent de larmes.

— Je ne peux pas rester au Boston Harbour Hospital... C'est si cher!

— En tant que directrice du service des soins, cela ne te coûte rien!

Une larme tomba sur la main parcheminée d'Abby Main.

— Laisse-moi te remettre ma démission, Laura.

— Mais pourquoi?

— Je suis une invalide... Non, ne proteste pas!
Je sais que jamais je ne retrouverai l'usage de mes
jambes.

Elle leva la main pour réduire son amie au
silence.

— Permets-moi de retrouver ma dignité.

— Mais...

— Je trouve... humiliant de garder mon titre
alors que je ne peux plus rien faire.

Très émue, Laura s'essuya les yeux.

— Je ne pensais pas que... que tu voyais les
choses ainsi.

Abby réussit à sourire.

— C'est pourtant logique. Mais le bon sens et
toi!

— J'aurais dû comprendre...

Laura se leva.

— J'accepte ta démission. Et je vais nommer
quelqu'un à la direction du service des soins. A une
condition, cependant! Que tu restes à l'hôpital... Je
ne veux plus t'entendre parler d'aller à Tucson chez
ta sœur. Encore un mot à ce sujet et je t'oblige à
reprendre du service!

Maintenant, Abby riait.

— Tu as toujours eu le cœur dur, Laura!

Hillary George changeait les draps de Rafael
après l'avoir aidé à terminer sa toilette. Il en profita
pour faire quelques pas dans la chambre.

— Je serai aussi faible qu'un chat quand je sortirai d'ici! soupira-t-il.

— Les chats sont des animaux très solides! protesta Hillary. Tout au moins ceux qui n'ont pas la fièvre...

Il s'approcha de la fenêtre et contempla les jardins.

— On ne sait toujours pas ce que j'ai attrapé?

— Non. Vous restez un puzzle à l'intérieur d'un mystère enveloppé d'une énigme...

— Une charade enveloppée d'un mystère à l'intérieur d'une énigme, corrigea-t-il. C'est Winston Churchill qui parlait ainsi, à propos de la Russie.

Elle haussa les sourcils.

— C'est vrai?

Il se retourna en souriant.

— Je suis allé à l'université, vous savez. Les acteurs ne sont pas forcément incultes.

— Et moi qui étais persuadée qu'ils ne comprenaient rien à rien! ironisa-t-elle. Allons, au lit, maintenant!

Il s'exécuta sans se faire prier et elle le recouvrit des couvertures.

— Vous n'êtes pas comme d'habitude, remarqua-t-il.

— J'ai des soucis...

Elle lui parla de Tommy.

— Pour le moment, il dort. Je viens de téléphoner...

— C'est votre seul enfant?

— Oui...

— J'aime les enfants, déclara-t-il brusquement.

— Cela ne m'étonne pas... Vous serez un bon père, à mon avis.

— Je l'espère. Puis-je vous poser une question?

— Vous allez me demander d'être la mère de vos enfants? plaisanta-t-elle.

— Ce ne serait pas une mauvaise idée...

Il redevint sérieux.

— Mais je pensais plutôt à Leigh Mariner. Est-elle mariée? Fiancée? Y a-t-il un homme dans sa vie?

— Vous faut-il aussi sa date de naissance? Et voulez-vous savoir si elle est atteinte de maladies graves?

Elle secoua la tête.

— Dommage que la douceur, la gentillesse et la sincérité ne soient pas contagieuses...

— Peut-être que si.

Elle était sur le point de le mettre en garde contre les dangers de tomber amoureux de son infirmière quand on frappa à la porte. Elle alla ouvrir et s'étonna de se trouver devant Laura Carlyle et Rosella Parkins.

— J'aimerais voir M.Rafael.

Hillary eut peine à cacher sa stupeur. La présidente du Boston Harbour Hospital venait rarement voir les malades... Très vite, cependant, elle retrouva ses esprits.

— Monsieur Rafael, voici Mme Laura Carlyle, présidente du Boston Harbour Hospital.

Il la contempla sans mot dire. Puis un sourire lui vint aux lèvres.

— Vous êtes très, très belle! assura-t-il.

Amusée, Laura se tourna vers Hillary.

— Il a de la fièvre, paraît-il. Cela lui donne des hallucinations?

— Pas du tout! s'exclama Rafael.

— Je suis venue vous présenter des excuses au nom de l'hôpital. Vous espériez que votre incognito serait respecté et nous n'avons pas réussi à garder le secret. J'en suis désolée...

Visiblement impressionné, il ne la quittait pas des yeux.

— C'est sans importance, assura-t-il. Dans le monde du cinéma, les nouvelles vont si vite... Et un peu de publicité ne fait jamais de mal!

Sa voix changea.

— Vous êtes une femme remarquable!

— Merci... Je vois que je me trouve devant un homme de discernement!

Elle lui tapota la joue.

— Comment vous sentez-vous?

L'expression de Rafael s'assombrit et elle soupira.

— On n'a pu encore établir de diagnostic, je sais... Cela viendra, ayez confiance. Pour le moment, tâchez de vous reposer!

— Vous êtes gentille d'être venue me voir.

— Une femme de mon âge n'a pas tous les jours l'occasion de rendre visite à un séduisant jeune homme!

Elle se tourna vers Hillary.

— J'aimerais vous parler...

Toutes deux sortirent dans le couloir.

— Tommy a été hospitalisé cette nuit, ai-je appris?

— Oui...

— Il va plus mal?

Hillary serra les dents.

— Son état est grave...

— Pourquoi n'êtes-vous pas à son chevet? Un petit garçon malade a besoin de la présence de sa mère.

— Il... il dort en ce moment. Je ne peux rien faire... Peut-être est-il préférable que... que je m'occupe pour éviter de trop penser.

— Il faut que vous soyez à ses côtés quand il ouvrira les yeux, voyons! Dites à Mme Shaughnessy que je vous interdis de travailler tant que Tommy ne sera pas remis.

— Non, je vous en prie! supplia Hillary. Je... je ne peux pas agir ainsi. Je... je dois travailler...

Le regard de Laura Carlyle se durcit.

— Je crois comprendre...

Elle appela Rosella qui se tenait un peu à l'écart.

— Je veux que Mme George soit affectée immédiatement en pédiatrie. Nuit et jour...

A l'intention d'Hillary, elle ajouta :

— Vous me ferez un rapport complet concernant la qualité des soins dans ce service.

Bill Gwynn n'avait aucune intention d'interviewer Dawn Appleton. Une fois admis dans l'hôpital, il commencerait son enquête...

Il croyait que ce serait facile mais il se trompait. Tout d'abord, on lui remit un badge vert de forme hexagonale portant son nom. Puis on lui montra les ascenseurs...

Au lieu de pénétrer dans la cabine, il fit quelques pas dans le hall. Tous les visiteurs portaient des badges de couleurs et de formes différentes. Levant les yeux, il aperçut une caméra de télévision.

Il ne lui restait plus qu'à emprunter l'ascenseur comme on le lui avait demandé. Le liftier le pria de descendre au troisième étage. Que pouvait-il faire, sinon obtempérer ?

Un gardien en uniforme le guida alors jusqu'à la chambre 327 où l'attendait Dawn Appleton. L'interview ne dura qu'une demi-heure et lui parut interminable. Jamais il n'avait vu une femme aussi frivole, aussi égoïste, aussi écervelée… Elle ne cessait de répéter combien elle haïssait Rafael.

« Elle ne m'apprend rien », songea le journaliste. « Elle a dit assez de mal de ce pauvre Rafael au moment du divorce ! »

En écoutant les féroces diatribes de Dawn Appleton, il éprouva une certaine commisération à l'égard de cet homme qui n'avait sans doute pas trouvé d'autre moyen pour fuir cette furie de Dawn Appleton que de devenir acteur en Bolivie ! Enfin, il réussit à prendre congé. Avec un soupir de soulagement, il tourna à gauche au lieu de se diriger vers les ascenseurs.

La première porte qu'il tenta d'ouvrir était close. La seconde donnait sur un placard à lingerie. Il eut plus de chance avec la troisième et pénétra dans une chambre de malade.

— Voulez-vous m'accompagner, s'il vous plaît, monsieur Gwynn !

Un gardien le saisit par le bras et l'entraîna. Quelques minutes plus tard, on l'introduisit dans le bureau d'une jeune femme blonde.

Jenny Corban, assistante à la direction générale, lut-il sur son badge.

Elle était au téléphone.

— Merci, madame Appleton ! Et ne vous inquiétez pas, il ne vous importunera plus…

Après avoir raccroché, elle se tourna vers le reporter.

— Vous me décevez, monsieur Gwynn.

— Vraiment? fit-il, s'efforçant de sourire.

— A la suite de votre demande, j'avais accepté de vous recevoir. Or, en téléphonant à la réception pour autoriser votre entrée, j'ai appris que vous étiez déjà dans les lieux, sous prétexte de voir Mme Appleton.

— Et alors?

— Mme Appleton vient d'admettre qu'elle ne vous connaissait pas. Elle a trouvé votre manière de mener l'interview assez étrange...

Jenny marqua une pause avant de demander:

— Avez-vous découvert ce que vous cherchiez, monsieur Gwynn?

Il l'examina. Sous une apparence pleine de douceur, cette femme avait des nerfs d'acier. Mais lui aussi pouvait se montrer dur! Et parfois, l'attaque était la meilleure des défenses.

— Oui, j'ai de quoi écrire un bon article. Vous avez des gardiens en uniforme, un circuit interne de télévision... On ne peut pas se déplacer sans un badge...

Il haussa les épaules.

— Bref, ce n'est pas un hôpital, c'est une prison!

— Pas du tout!

— C'est pourtant ainsi que je vois le Boston Harbour Hospital.

— Si l'on vous donnait l'autorisation de fouiner

189

dans tous les coins et recoins de l'hôpital avec votre petite caméra, si vous pouviez interviewer Rafael et les autres, je suis sûre que votre article serait très différent... Mais à vrai dire, monsieur Gwynn, je me moque complètement de ce que vous pourrez raconter. J'étais prête à vous recevoir mais étant donné les circonstances, pas question que je réponde à vos questions.

Elle parlait avec autorité, mais aussi — parce qu'il avait trahi sa confiance —, avec une certaine amertume. Lui, cependant, ne voulait pas s'avouer vaincu.

— Je peux vous faire beaucoup de mal! A vous et à votre hôpital...

— Dans ce cas, vous vous faites des illusions. Le Boston Harbour Hospital existe depuis bien longtemps et il vous survivra, n'ayez crainte! Le taux d'occupation des chambres prouve que les malades ont confiance en nous. C'est eux qui nous intéressent, pas vos lecteurs. Ecrivez ce que vous voulez, monsieur Gwynn, cela nous est égal!

Il réussit à cacher sa colère. Il parvint même à grimacer un sourire.

— Je suis désolé. Je n'avais pas réfléchi... Vous voyez, j'ai l'habitude de me promener librement partout, de discuter avec les gens et...

— Pas ici, monsieur Gwynn.

Il soupira.

— Je comprends, admit-il du bout des lèvres. Ecoutez, reprenons tout à zéro.

Cette fois, son sourire semblait sincère.

— Mademoiselle Corban, je veux écrire l'histoire du Boston Harbour Hospital et j'aimerais que...

— Non, coupa-t-elle.

Elle se leva.

— Vous avez manqué le coche, monsieur Gwynn. Tant pis pour vous... Je vais demander qu'on vous raccompagne au portail.

Roberta Hecht rejoignit sa mère au bord de la piscine. Dans un geste de défi, elle ôta le haut de son bikini et Constance Carlyle haussa les sourcils.

— Tiens, tiens... On deviendrait moins prude ?

Elle se mit à rire.

— Tu es très bien faite, tu sais. J'espère que Dawes Banning a apprécié...

Roberta sursauta.

— Vraiment, maman !

— Allons ! Ne prends pas cet air choqué. Tu n'es plus une gamine !

Son rire retentit de nouveau.

— Tu n'as pas suivi Dawes Banning dans une des chambres d'amis pour jouer aux échecs... Et j'applaudis à deux mains ! Il est grand temps que tu t'amuses un peu. Je te plains d'avoir épousé un rabat-joie comme Brian! Tu ne dois pas rire tous les jours. Or une femme n'a que quelques bonnes années et il faut savoir en profiter.

Roberta baissa la tête. Elle avait trompé Brian et rien ne semblait changé en apparence. Le ciel ne lui était pas tombé sur la tête...

— Les toutes-charmantes! Di-vi-nes...

Roberta tressaillit en reconnaissant la voix pointue de Junior Carlyle. En hâte, elle se couvrit d'une serviette.

— Je vous en prie, protesta-t-il. Ne cachez pas ces merveilles! Permettez à un vieil homme de se réjouir l'œil...

Roberts comprit que ce spectacle le laissait complètement indifférent et laissa retomber sa serviette.

— Quel bon vent vous amène, Junior? interrogea Constance.

Il se frotta les mains.

— Un bon vent, en effet...

Il se tourna vers Roberta.

— Puis-je vous poser une question?

— Même si je répondais non, je suppose que vous la poseriez quand même, rétorqua-t-elle sans aménité.

— Tout juste!

Il se frotta les mains.

— Vous êtes la fille de votre mère, mais vous êtes aussi la femme de votre mari...

192

— En clair, vous voulez savoir si je risque de mettre Brian au courant de vos projets ?

— Exactement ! La vente de l'hôpital à un groupe de promoteurs immobiliers risque de ne pas lui plaire...

— Et cela ne lui plairait pas non plus d'apprendre ta petite aventure avec Dawes Bannings ! ajouta Constance en pouffant.

— Maman, je t'en prie !

— Mais j'essaie de faire comprendre à Junior que tu es de notre côté !

Elle donna une bourrade à ce dernier.

— Maintenant, vieux conspirateur, dites-nous tout !

Il hésita un instant en regardant Roberta en-dessous. Il ne lui faisait pas vraiment confiance... Pourtant cette vente était le seul moyen de retrouver le trésor ! Le groupe financier qui contrôlerait l'hôpital avait déjà la gestion immobilière du City Hall. Il retrouva son enthousiasme.

— Constance, nous avons gagné !

Il leva ses bras flasques au ciel, comme s'il avait voulu étreindre le monde tout entier.

— Le Boston Harbour Hospital est à nous ! Ma chère belle-mère a enfin trouvé son maître !

Il fit claquer sa langue contre son palais.

— C'est trop drôle ! Je ne me tiens plus de joie...

— Si vous vous expliquiez mieux ? demanda Constance.

— Elle a essayé d'obtenir la démission de Wilkerson pour donner son poste à cet idiot de Kazinsky. Bien entendu, Wilkerson n'a pas marché! Et il va nous apporter ses voix sur un plateau d'argent!

Il sauta de joie.

— *Kaput*, Laura Carlyle!

Constance eut un cri étranglé avant de se jeter dans ses bras.

— Oh! Junior, c'est formidable! Nous allons vendre ce sale hôpital et devenir riches! Vous êtes génial! Tout simplement génial...

Une fois de plus, Laura Carlyle était en tournée d'inspection.

Elle passa d'abord voir la responsable des équipes de nettoyage et de la lingerie, une Suédoise d'une quarantaine d'années.

— Ne vous inquiétez pas, assura cette dernière. Je fais la chasse aux microbes!

Dans un hôpital, tout devait être rigoureusement impeccable et aseptisé. Laura Carlyle avait l'obsession de la propreté. Elle avait engagé cette grande blonde à la silhouette statuesque parce que la réputation des Scandinaves dans ce domaine n'était plus à faire.

Elle se dirigea ensuite vers les salles d'opération. Jetant un coup d'œil par le hublot donnant sur l'un des blocs opératoires, elle reconnut Wilkerson, de

194

dos. Alors, mue par une impulsion soudaine, elle se fit donner une blouse, un masque et des gants.

— Vous êtes fatiguée ! protesta Rosella. Vous feriez mieux de rentrer vous reposer.

Sans l'écouter, elle pénétra dans la salle d'opération et demeura près de la porte, aussi immobile qu'une statue. Pas plus Wilkerson que le jeune Hugh Lampton, qui l'assistait, ne s'aperçurent de sa présence.

— Seigneur ! s'exclama Wilkerson. Ce n'est pas une femme que j'ai sur la table d'opération, c'est une montagne de graisse !

Hugh Lampton se mit à rire.

— Oui, une vraie montagne de graisse ! fit-il en écho.

Les infirmières et l'anesthésiste aperçurent alors Laura, qui n'avait pas bougé de son poste d'observation. Par-dessus leurs masques, leurs yeux s'agrandirent. Elle posa un doigt sur sa bouche, réclamant le silence.

Laura Carlyle sortit et arracha brutalement son masque. Elle était très pâle et, tout de suite, Rosella s'inquiéta.

— Vous êtes souffrante ?

Laura Carlyle tremblait de tous ses membres.

— Pas... pas de cela ici, balbutia-t-elle. Vous m'entendez ? Ernest Wilkerson et ce jeune médecin vont prendre la porte, ou... ou je ne m'appelle plus Laura Carlyle !

— Mais que s'est-il passé? insista Rosella. Seigneur, vous êtes dans un état...

La vieille dame ne semblait pas l'avoir entendue.

— C'est un hôpital, ici! Pas... pas un bar de troisième catégorie où... où des ivrognes font assaut de grossières plaisanteries!

Jenny marqua un mouvement de surprise en reconnaissant la voix de son ex-ami au téléphone. En se séparant, tous deux s'étaient promis de ne reprendre contact que pour raisons professionnelles.

— La rumeur prend consistance, Jenny. J'ai pensé que cela t'intéresserait...

— La rumeur? s'étonna-t-elle. Quelle rumeur? Tu prêtes attention aux ragots, maintenant?

— Il y a ragots et ragots, rumeurs et rumeurs... Celle-ci est de taille!

— Dis toujours...

— On raconte que Rafael est victime d'une malédiction pour avoir profané un temple sacré en Amazonie...

— Une malédiction? C'est... ridicule!

— Le Boston Harbour Hospital ferait bien de démentir officiellement cette nouvelle.

— Démentir une telle fable? Jamais! Ce serait nous discréditer que de montrer que l'on pourrait croire à ces bêtises!

8.

Brian Hecht n'aimait guère jouer au golf. Quand on lui proposait de faire une partie, il s'arrangeait pour décliner poliment l'invitation. Mais Darryl Feinsinger avait insisté et il avait compris que ce dernier désirait lui parler loin de toute oreille indiscrète.

Voilà pourquoi ils se trouvaient maintenant tous deux sur le *green*, traînant leur caddie chargé de clubs.

— Vous n'avez pas fait beaucoup de progrès, Brian! remarqua Darryl Feinsinger.

— Je ne suis pas un passionné de golf.

Ils arrivaient déjà au neuvième trou et n'avaient encore échangé que des banalités. Brian décida de passer à l'offensive.

— De quoi vouliez-vous m'entretenir, Darryl?

— De mon compte en banque… Je rêve d'avoir le Boston Harbour Hospital pour client.

— Je sais! Mais Laura Carlyle a signé un contrat avec les assurances Edgerton.

— Je suis prêt à vous proposer des conditions plus avantageuses.

— Malheureusement, ce n'est pas moi qui décide dans ce domaine. Je le regrette, Darryl, je ne peux pas vous aider.

— Et si moi, je vous aidais, plaideriez-vous ma cause auprès de Laura Carlyle?

Brian ne répondit pas. Son expression demeurait impénétrable.

— Une offre d'achat vient d'être faite pour le Boston Harbour Hospital, déclara Darryl.

— Qui vous a parlé de cela?

— Je ne peux pas vous le dire.

Brian haussa les épaules.

— Vous vous trompez. Aucune offre ne nous a été faite. Pas plus à Laura Carlyle qu'à moi.

— C'est à Junior Carlyle qu'ils se sont adressés.

Cette fois, Brian s'immobilisa. Ses yeux s'étaient élargis.

— Junior Carlyle?

— Ah! Vous commencez à manifester un peu d'intérêt! remarqua Darryl Feinsinger en souriant.

Brian prit tout son temps pour choisir un autre club de golf.

— Des ragots! fit-il sans conviction.

— Je ne le pense pas. Vous rendez-vous compte que l'hôpital est construit sur l'un des terrains les plus chers du monde? Imaginez un peu ce que vaudraient des appartements situés à cet emplacement!

Brian frappa la balle et jura en la voyant s'arrêter cinquante mètres plus loin.

— Je ne suis pas en forme aujourd'hui. Cela ne vous ennuie pas d'arrêter au neuvième trou?

Darryl se mit à rire.

— J'aurais mieux fait de vous parler à la fin de la partie!

— Vous savez, ce n'est pas la première fois que l'on cherche à acheter l'hôpital. Des promoteurs immobiliers sont déjà allés trouver directement Junior... Mais même si Constance Carlyle vote pour lui, il n'obtiendra pas le contrôle du Boston Harbour Hospital.

— Alors, pas de problème!

— Si, justement! soupira Brian. Un fait nouveau risque de bouleverser un équilibre que nous pensions acquis...

Hillary avait fait la lecture à Tommy jusqu'à ce qu'il s'endorme. Profitant de ces quelques heures de répit, elle s'empressa de courir chez elle.

Puisque Tommy se trouvait à l'hôpital, elle avait donné congé à Carmen, l'Espagnole qui s'occupait d'ordinaire de l'enfant et de la maison.

Un peu désorientée, Hillary regarda autour d'elle. Comme l'appartement semblait vide!

Elle crispa les poings en réprimant un sanglot. Que deviendrait-elle si Tommy mourait?

Après avoir pris une douche, elle changea de vêtements et réunit quelques effets personnels. Elle était sur le point de partir quand la sonnerie du téléphone grésilla.

— Allô?

— Oh! Vous êtes chez vous... J'ai essayé de vous joindre à plusieurs reprises dans la journée. Comment va Tommy?

Elle avait immédiatement reconnu cette voix masculine et ses yeux s'emplirent de larmes.

— Arthur..., murmura-t-elle.

Il ne s'appelait pas ainsi. Mais d'impérieuses raisons l'obligeaient à garder leur liaison secrète. Elle comprenait si bien cela qu'elle n'osait jamais prononcer son vrai nom, même lorsqu'elle était seule. Même tout bas...

— Comment va Tommy? redemanda-t-il.

S'ils se voyaient rarement, il téléphonait fréquemment. Comment avait-il appris que Tommy était malade? Elle le connaissait maintenant assez pour ne pas lui poser de questions.

— Il ne va pas très bien, répondit-elle enfin. Je m'inquiète tant...

— Pauvre Hillary... Comme j'aimerais être à vos côtés en ce moment!

Elle s'essuya les yeux.

— Je sais. Mais vous m'avez téléphoné. C'est déjà beaucoup!

— Ce n'est pas assez!

Il marqua une pause.

— J'espère pouvoir me libérer bientôt.

— Quand?

— Dans les jours à venir, si tout va bien. Mais n'y comptez pas trop!

— Je peux toujours espérer.

Il soupira profondément.

— Je vous aime, Hillary.

— Moi aussi, je vous aime... Arthur.

Elle hésita un instant avant de déclarer:

— J'ai fait la connaissance d'un homme qui me plaît assez.

— Très bien!

— Maximillian Hill, l'acteur. Il est gentil, il ne cherche pas à précipiter les choses, il...

— Hillary?

— Oui...

Il hésita.

— Vous savez quels sont mes sentiments à votre égard, mais vous savez aussi que je n'attends rien de vous. Vous êtes libre de...

— Oui.

— N'oubliez jamais que vous restez entièrement libre! Et gardez confiance! Tommy s'en sortira! C'est un solide petit garçon, au fond...

— Merci de penser à moi.

— Je ne cesse pas! Je vous aime, Hillary...

Il raccrocha et elle demeura pendant quelques instants immobile, contemplant le récepteur devenu silencieux entre ses mains. Puis, le cœur lourd, elle raccrocha à son tour.

Dix minutes plus tard, on sonna à la porte. Elle alla ouvrir et s'étonna de trouver Maximillian Hill sur le seuil.

— Entrez donc! Quelle surprise...

— Cinquante fois, j'ai essayé de vous joindre au téléphone! En désespoir de cause, je me suis dit que j'allais camper sur votre paillasson en attendant que vous rentriez chez vous...

— Vous avez de la chance de me trouver ici. Je suis passée en coup de vent... J'allais repartir!

— Comment va Tommy?

— Peut-être un peu mieux.

— Il s'en sortira, assura-t-il à son tour. Et vous, Hillary, comment allez-vous?

— Bof...

— Je vous emmène dîner.

— Oh! Je n'ai pas le temps... Il faut que je retourne au chevet de Tommy!

— Vous ne pouvez pas rester à jeun! Accordez-moi cinq minutes! Le temps d'avaler un sandwich au coin de la rue.

Vaincue, elle se rendit à ses arguments.

Après avoir longuement réfléchi, Roberta avait enfin compris où résidaient ses intérêts.

Si l'on vendait le Boston Harbour Hospital, sa mère et Junior gagneraient des fortunes. Mais elle n'aurait pas un sou... D'autant plus que sa grand-mère risquait de la déshériter. Le Boston Harbour Hospital représentait tout pour Laura Carlyle. Si elle le perdait, elle était tout à fait capable de rédiger un testament en faveur d'une œuvre de charité quelconque.

Quant à Brian, il se retrouverait sans situation. Or Roberta trouvait très agréable d'être la femme du directeur général d'un hôpital aussi réputé. Cela ouvrait beaucoup de portes...

« Il faut que je le mette au courant de ce que maman et Junior complotent! » se dit-elle. « Je vais lui demander de m'emmener dîner au restaurant. En public, nous ne nous disputons jamais. L'ambiance sera détendue et, au moment du dessert, je lui raconterai tout... »

Elle entendit la voiture de son mari et hocha la tête d'un air satisfait. Il venait de rentrer. Tout allait bien... Elle prit le temps de passer sur ses ongles une seconde couche de vernis écarlate.

— Mais pourquoi ne monte-t-il pas? grommela-t-elle.

Elle se dirigea vers le palier et prêta l'oreille. Brian téléphonait...

— Cela ne peut plus continuer ainsi, Jenny!

La réaction de Roberta fut terrible. Aussi vite que le lui permettaient ses talons aiguilles, elle descendit l'escalier et se précipita vers le téléphone.

— Non, pas chez moi! hurla-t-elle.

Elle arracha le récepteur des mains de Brian.

— Je vous interdis de téléphoner ici! Laissez mon mari tranquille, espèce de... de...

Sans douceur, Brian la repoussa après lui avoir repris l'appareil.

— Vous êtes toujours au bout du fil, Jenny? demanda-t-il.

La colère le submergeait mais sa voix demeurait calme.

— Oui.

— Nous discuterons de tout cela demain.

— Oui...

Avec une lenteur délibérée, il raccrocha. Quand il se tourna vers Roberta, son visage était très pâle.

— Je ne veux plus jamais de cela! Tu m'entends?

Elle aussi tremblait de rage.

— « Cela ne peut plus continuer ainsi, Jenny! » parodia-t-elle. Au moins, tu essaies de rompre...

Il la toisa avec stupeur.

— Mais que…

— C'est toi-même qui lui as parlé ainsi!

Qu'avait-il dit exactement? Qu'avait-elle pu entendre? Il secoua la tête.

— Tu es malade, Roberta! C'est la tête qui ne va pas… Je t'assure, tu devrais consulter un psychiatre.

Elle leva les mains, le menaçant de ses ongles acérés.

— Je t'interdis de me parler ainsi.

Haussant les épaules, il se dirigea vers le bar et se servit un whisky bien tassé.

— Ce n'est pas Jenny qui m'a appelé, déclara-t-il d'une voix lasse. C'est moi qui lui ai téléphoné… Et comme j'ignorais son numéro personnel, j'ai dû auparavant le demander au standard du Boston Harbour Hospital.

— Mais bien sûr! ironisa-t-elle.

Il ignora l'interruption.

— Il court une vilaine rumeur au sujet de Rafael. Si j'ai contacté Jenny, c'était pour lui demander de tâcher d'étouffer cela dans l'œuf…

Elle eut un rire méprisant.

— Tu t'imagines que je vais te croire?

— Mais je dis la vérité!

— Bien sûr, mon chéri! ironisa-t-elle. T'appelle-t-elle « mon chéri », elle aussi?

Elle se redressa.

— Et ne proteste pas! Je vous ai vus ensemble pas plus tard qu'hier dans le grand hall de l'hôpital! Tu la tenais par la taille, au vu et au su de tout le monde! Vous alliez vers le parking... Tu vas nier cela aussi?

— Je ne nie rien, Roberta, fit-il avec lassitude. Jenny et moi avions à discuter affaires et je l'ai emmenée prendre un verre. Voilà tout! Ce n'est pas une raison pour que tu te conduises comme une folle échappée d'un asile...

— Arrête de me parler ainsi!

Il termina son verre d'un trait.

— Alors cessons de nous disputer! C'est ridicule... Pourquoi es-tu si jalouse d'elle?

— Je ne suis pas jalouse! Tu peux aller avec qui tu veux, cela m'est bien égal!

— Dans ce cas...

— Tu ne comprends pas! coupa-t-elle. Je me sens à la fois humiliée et désappointée. Que tu aies une liaison, passe! Mais que tu choisisses une de tes employées, non! Tu pourrais avoir plus de décence, plus de dignité, plus de... de classe!

Brian préféra ne pas poursuivre la discussion. Avec Roberta, il était impossible d'avoir le dernier mot. Elle se complaisait dans des scènes toùjours renouvelées. Elle semblait y puiser son énergie.

— As-tu vu ta mère dernièrement? lui demanda-t-il d'un ton neutre.

— Evidemment! C'est ma mère!

— Et ton oncle Junior?

— Euh… non.

Il la fixa, les yeux rétrécis.

— C'est vrai?

— Oh! Maintenant que tu m'y fais penser, oui, je l'ai vu, justement! Hier, chez maman… Ou bien était-ce avant-hier?

Elle haussa les épaules.

— Comme si je faisais attention à Junior! Tu essaies de changer de sujet! Nous étions en train de……

Il l'interrompit.

— Sais-tu que Junior et ta mère cherchent à prendre le contrôle de l'hôpital? J'ignore leur raison profonde…

Elle battit des paupières, affectant un air suprêmement ennuyé.

— Si tu crois que je m'intéresse à cet hôpital! jeta-t-elle avec dédain.

— Je ne t'ai pas demandé si tu t'y intéressais ou non. Je t'ai demandé si Junior et ta mère avaient parlé devant toi de leur intention de…

— Mais non! s'exclama-t-elle d'une voix suraiguë.

— Tu dis la vérité, Roberta?

— Evidemment! Je n'ai rien entendu! Sur quel ton faut-il le répéter? Es-tu devenu sourd?

Il la contempla en silence. Il ne la croyait pas. Mais à quoi bon insister ? Cela ne le mènerait nulle part...

Lui tournant le dos, il se dirigea vers le hall.

— Où vas-tu ?

— Je sors.

— Tu vas la retrouver ! accusa-t-elle, furieuse.

La porte claqua bruyamment. Hors d'elle, Roberta s'empara d'un vase et s'apprêta à le jeter contre le mur. Mais elle se reprit à la dernière minute. Détruire des objets de valeur ? Non, ce n'était pas son genre...

Elle se servit à son tour un double whisky et l'avala en grimaçant. Un sourire lui vint aux lèvres.

— Ne te fâche pas, fit-elle à mi-voix. Venge-toi...

Sa vengeance, elle l'avait à portée de la main.

Miles Hathaway s'était péniblement redressé sur ses oreillers. Son producteur et ses deux assistants l'entouraient. Menacé à chaque instant d'un nouvel infarctus, sous perfusion, sous oxygène, le metteur en scène trouvait cependant le moyen de donner des ordres.

— La séquence du taxi est importante. Mais je la reprendrai quand je sortirai d'ici... Dans un jour ou deux, j'espère ! En attendant, vous sentez-vous capables de tourner les extérieurs à Malibu ?

— Bien sûr.

— Redford et Streep sont dans les bois. Ils se voient de loin… Le tout est de jouer sur la distance. Vous comprenez?

— Bien sûr.

Le producteur hésita un instant avant de lancer d'un trait:

— Poland a proposé d'aider à boucler le tournage…

Miles Hathaway tressaillit.

— Poland? Je ne veux ni de lui, ni d'un autre! C'est *mon* film!

Un médecin pénétra dans la chambre du malade.

— Mais que se passe-t-il ici? M.Hathaway a besoin de calme…

— Il nous a fait appeler, expliqua l'un des assistants. Pendant qu'il est à l'hôpital, il faut continuer à tourner…

— Oui! s'écria le metteur en scène. Le temps, c'est de l'argent… Et je me sens déjà mieux!

— Mais vous *n'allez* pas mieux. Si une opération n'est pas tentée…

— Une opération? Pas question en ce moment! Vous imaginez? J'ai réussi à engager Robert Redford et Meryl Streep! Mon cœur attendra la fin du tournage!

— Cela risque plutôt d'être la fin de votre cœur si vous refusez de vous laisser soigner! A partir d'aujourd'hui, j'interdis toute visite…

— Je vous en prie! J'ai besoin de...

Le médecin l'interrompit.

— Vous avez besoin de vivre.

Leigh achevait de préparer Rafael pour la nuit. Il se retourna brusquement et la fixa. Son regard était intense et, mal à l'aise, elle recula d'un pas.

— Monsieur Rafael, je...

— Rafael! coupa-t-il. Vous aviez promis de m'appeler par mon prénom.

Elle avala sa salive.

— Je n'ai rien promis du tout.

— Leigh, je tiens à vous...

Avec des mains qui tremblaient un peu, elle fit mine de remettre en ordre quelques flacons de médicaments sur le chariot.

— Je tiens à vous, répéta-t-il. Est-ce une faute? Une faute impardonnable?

— Non, bien entendu. Moi aussi, je tiens à vous. Je voudrais que vous guérissiez...

Il la saisit par le poignet.

— Vous croyez impossible qu'un homme comme moi tombe amoureux d'une femme comme vous?

— Oui, c'est impossible.

Elle prit une profonde inspiration.

— Nous vivons dans deux mondes tellement différents! La vedette de cinéma et la petite infirmière... Et on raconte sur vous bien d'autres choses, que vous seriez un ancien espion, un aventurier...

— Vous venez de l'Iowa et moi de très loin... Ne me jugez pas sur les apparences, Leigh, je vous en prie...

— Nous n'avons rien en commun !

— Les plaisirs frelatés de Hollywood me laissent froid, vous savez. Et je n'y ai pas goûté, toute ma carrière cinématographique s'est déroulée en Bolivie... Je préfère des distractions plus simples... Et j'essaie de retrouver mon équilibre auprès de mes vrais amis, en menant une vie sans prétention. En attendant...

Il soupira. Ses propos étaient décousus. La fièvre troublait son esprit.

— Mon premier mariage s'est révélé un échec sur toute la ligne. Je croyais avoir épousé une femme intelligente et cultivée... et c'était une intrigante... tout comme son père, d'ailleurs, ce maudit architecte !

Il leva les yeux au ciel.

— Seigneur ! Comme elle avait réussi à m'abuser...

— Partout où vous allez, monsieur Rafael, les femmes doivent tomber à vos pieds... Un jour, vous trouverez celle qui vous est destinée.

— C'est vous, Leigh.

Elle haussa les épaules et s'efforça de changer de sujet de conversation.

— Vous avez raison, je suis une vraie fille de l'Iowa! fit-elle avec un entrain forcé. La nature avant tout... On peut à peine pénétrer dans mon petit appartement: il est plein de plantes vertes!

— J'aime la nature, moi aussi. Et le sport... Avec mes amis — mes vrais amis —, je joue au football, au basket...

— Je jouais autrefois au basket.

— C'est vrai?

— Oui, j'étais même assez douée. L'entraîneur d'une équipe nationale a voulu m'engager. Mais je voulais devenir infirmière...

— Et vous ne jouez plus?

— Non.

— Quel dommage!

Elle sourit.

— Vous voyez! Nous n'avons rien en commun...

Brian commanda un troisième whisky au barman. Il n'avait pas l'habitude de boire et, curieusement, son esprit fonctionnait plus clairement que jamais.

La menace qui pesait sur l'hôpital était des plus graves. Par ricochet, il risquait de perdre son poste. Mais cela ne l'inquiétait guère.

On lui avait offert des ponts d'or à Washington et

212

à Houston. Peut-être aurait-il dû accepter? Sa carrière aurait alors pris un départ en flèche. Mais il n'avait pas plus envie de quitter le Boston Harbour Hospital que Laura Carlyle.

A son cinquième whisky, il n'hésita plus et prit le chemin de l'appartement de Jenny Corban. Le secrétariat de l'hôpital lui avait donné son adresse en même temps que son numéro de téléphone...

Elle était prête à se mettre au lit et le reçut vêtue d'une robe de chambre en satin blanc.

— Je peux entrer? demanda-t-il.

Il vacilla et elle dissimula un sourire.

— Cela vaudra mieux, murmura-t-elle. Vous avez conduit dans cet état?

— Mais oui. Que m'offrez-vous à boire?

— Du café.

— Je préférerais un jus d'orange. Avec de la vodka.

— De la vodka? Sûrement pas.

Elle lui indiqua le canapé.

— Asseyez-vous et tâchez de reprendre vos esprits. Quand vous vous sentirez mieux, j'appellerai un taxi.

— Charmant! C'est ainsi que vous recevez vos amis?

— Avez-vous dîné?

— Je n'ai pas faim.

— C'est ce que disent toujours les ivrognes! Je vais vous faire une omelette.

Il la suivit dans la cuisine et son ivresse se dissipa dès qu'il eut mangé un peu.

— Eh bien ! Vous avez un foie solide ! s'exclama Jenny.

— Vous savez, je n'ai pas l'habitude de faire des excès de ce genre...

— Vous ne m'apprenez rien.

Elle souriait.

— Il est bon que les hommes aient parfois un moment de faiblesse...

— J'aimerais vous croire !

Un silence pesa. Brian fut le premier à le rompre.

— Je suis désolé pour l'incident du téléphone...

— Votre femme était énervée. Cela arrive.

— Elle s'est mis dans la tête que vous êtes ma maîtresse.

— Vous m'appeliez pour me parler des rumeurs qui courent au sujet de Rafael ?

— Vous êtes déjà au courant ?

— Evidemment.

— Qui peut être à l'origine d'une pareille machination ?

Jenny haussa les épaules.

— Dès qu'un aventurier perd quelques kilos, tout le monde pense à la mort tragique des savants qui découvrirent la chambre funéraire de Toutankhamon...

— Que devons-nous faire ?

— Ignorer ces ignobles rumeurs. Rafael ne connaît pas de malédiction : les examens sont catégoriques, c'est une fièvre tout ce qu'il y a de plus normale...

— Peut-être devrions-nous l'annoncer publiquement ?

— A mon avis, il vaut mieux traiter ces ragots par le mépris. A moins que vous ne vouliez que notre hôpital devienne la risée de toute l'Amérique !

Elle changea brusquement de sujet de conversation :

— J'appelle un taxi ?

Il fit une grimace.

— Si vous voulez. J'avais autre chose à vous dire... On a fait à Junior Carlyle une offre d'achat concernant le Boston Harbour Hospital.

— Ce n'est pas la première fois et...

Elle s'interrompit.

— Mon Dieu ! Ernest Wilkerson...

— Tout juste. Il va donner ses voix à Junior Carlyle pour conserver son poste.

— Comment pourra-t-il conserver son poste si l'hôpital est vendu ?

— Je n'en sais rien... Il va falloir que je parle de tout cela à Laura demain matin. Cela ne va guère lui plaire !

Il soupira.

— Pauvre Laura, elle vieillit... Par moments, j'ai l'impression qu'elle vit dans un autre monde.

— Un monde de raffinement et de courtoisie...

— Exactement.

Le regard de Brian s'évada.

— Junior la déteste. Il est prêt à tout pour lui nuire.

— Vous trouverez une solution, assura la jeune femme.

— Je le voudrais bien. Je ne pourrais pas supporter de voir Laura malheureuse. Je l'adore...

Il eut un rire sans joie.

— Savez-vous pourquoi j'ai épousé sa petite-fille? Pour lui faire plaisir.

— Brian! s'exclama Jenny sur un ton de reproche. J'ai vu votre femme. Elle est très jolie. Ne prétendez pas que...

— Oui, elle est très jolie, admit-il. Mais il n'y a plus rien entre nous.

Jenny le fixa droit dans les yeux.

— Je vous en prie! lança-t-elle avec mépris.

— Ma femme ne me comprend pas... Je sais, de telles phrases ont l'air de sortir d'un vaudeville. C'est pourtant la vérité, hélas!

Il rejeta ses épaules en arrière.

— Mais je ne vous demande pas de me consoler!

— Et je ne vous le proposerai certainement pas.

— Laura espérait que ce mariage transformerait

216

miraculeusement sa petite-fille…, murmura Brian à mi-voix, comme pour lui-même.

Il passa la main sur son front dans un geste las.

— Jenny, si je parvenais à me libérer, accepte-riez-vous de… de…

Brusquement, il se leva et la prit dans ses bras. Elle ne résista pas… Leurs lèvres se rencontrèrent et Jenny eut l'impression que toutes les étoiles du ciel explosaient dans sa tête.

Enfin, Brian releva la tête. Elle se dégagea.

— Oh! Jenny…

— Je crois que vous avez votre réponse, murmu-ra-t-elle.

Il voulut la reprendre dans ses bras mais la sonnerie du téléphone les fit tous deux sursauter.

Sans enthousiasme, la jeune femme alla décro-cher.

— Allô, Jenny?

Elle reconnut immédiatement la voix de son ex-ami.

— Toi! s'exclama-t-elle. Mais pourquoi m'ap-pelles-tu à une heure pareille?

— Je te conseille de lire la colonne de Cassie Borden! L'édition de son journal vient de sortir… C'est gratiné, crois-moi! Tu veux que je te lise le paragraphe concernant Rafael?

— S'il te plaît.

Elle prit des notes tout en l'écoutant. Puis, après l'avoir vivement remercié, elle raccrocha.

— Savez-vous ce que raconte Cassie Borden au sujet de Rafael? interrogea-t-elle.

Elle s'empara de la feuille de papier sur laquelle elle avait jeté quelques lignes.

— *On chuchotait depuis quelques jours que Rafael était frappé par une malédiction liée à ses aventures dans la forêt d'Amazonie… Aussi invraisemblable que cela puisse paraître, les médecins du Boston Harbour Hospital n'ont toujours pas démenti cette rumeur, ce qui semblerait la confirmer. De source sûre, nous savons en effet que Rafael est gravement atteint. Sa température a grimpé parfois jusqu'à plus de 44º. Pour tenter d'enrayer une infection dont l'origine reste inconnue, on vient de le mettre sous antibiotiques. Mais il reste toujours très faible. Nous souhaitons vivement que Rafael ne rejoigne pas les rangs des victimes de la terrible malédiction amazonienne. Mais quelle est l'origine de cette malédiction? Nous pensons pouvoir en informer nos lecteurs dans quelques jours.*

— Mais où a-t-elle pu apprendre tous ces détails?

— C'est ce que j'ai l'intention de découvrir!

Jenny reprit le téléphone et, cette fois, appela un taxi.

9.

Hillary se sentait un peu une intruse. Tout le monde savait, à l'hôpital, que Laura Carlyle et Brian Hecht avaient l'habitude de prendre leur petit déjeuner ensemble. C'était à ce moment-là qu'ils discutaient de la bonne marche de l'établissement.

« Mais pourquoi m'ont-ils invitée, moi? » se demanda Hillary une fois de plus.

Laura Carlyle ne se pardonnait pas de ne pas avoir mieux compris les sentiments d'Abby Main.

— Je croyais lui faire plaisir en la maintenant malgré tout à son poste. J'étais loin de penser que ce geste l'humiliait!

— Il est toujours difficile de prévoir les réactions des gens, remarqua Brian.

Un silence pesa. Laura Carlyle termina ses œufs brouillés.

— Ils sont très bons, aujourd'hui! assura-t-elle. Vous ne trouvez pas, Rosella?

— Si. Je ferai parvenir une petite note au diététicien.

La présidente de l'hôpital se tourna vers Hillary.

— Je vous ai fait venir pour vous demander votre avis. Qui me conseillez-vous de nommer à la direction du service des soins?

Cette question prit Hillary par surprise.

— Je… je ne sais pas, balbutia-t-elle.

— Allons! Vous connaissez bien le service et toutes les candidates possibles…

— Chacune des trois infirmières qui se sont relayées à ce poste sont capables de le tenir.

— Laquelle choisiriez-vous? insista Laura Carlyle.

— Mme Shaughnessy.

— Vous m'étonnez! Mme Shaughnessy prend son travail très au sérieux, mais elle manque de… euh… comment dire?

Elle soupira.

— Voyez-vous, la fermeté ne suffit pas! conclut-elle. Et j'ai quelqu'un d'autre en vue. Quelqu'un qui travaille au Boston Harbour Hospital depuis près de vingt ans maintenant. Quelqu'un qui — j'en ai du moins l'impression —, aime cet hôpital. Que pensez-vous de mon choix, Brian?

Elle ne lui avait rien dit auparavant, mais il sut immédiatement de qui elle parlait.

— Excellent !

Laura Carlyle fixait Hillary droit dans les yeux. Brusquement, cette dernière comprit où elle voulait en venir et esquissa un mouvement de recul.

— Non, je vous en prie ! Pas moi ! Je... je ne peux pas...

— Vous serez parfaite à ce poste !

— Non ! Je vous en prie..., répéta-t-elle.

Laura lui tapota la main.

— Je ne vous demande pas une réponse immédiate. Tâchez de vous imaginer directrice du service des soins du Boston Harbour Hospital... Vous ne vous en rendez peut-être pas encore compte, mais vous êtes faite pour assumer cette fonction.

— Que penseront les autres ? Celles qui sont plus âgées ? Qui ont plus d'ancienneté ? Celles qui sont plus en droit que moi de prétendre à une promotion ?

— J'admets que votre situation sera assez difficile dans les premiers temps. Mais vous avez assez d'habileté et de diplomatie pour aplanir les angles...

— Je ne peux pas ! s'écria Hillary.

— A cause de Tommy ?

— Euh... oui.

— Vous pourrez lui consacrer beaucoup plus de

temps que maintenant, car vous aurez la possibilité d'organiser vos horaires à votre guise.

En désespoir de cause, Hillary adressa un regard suppliant à Brian.

— A votre place, je ne lutterais pas, déclara-t-il en souriant. Quand Mme Carlyle a une idée en tête...

Hillary se leva.

— Excusez-moi, mais je n'ai pas très faim. Puis-je disposer, s'il vous plaît? Je... j'ai besoin de réfléchir.

Jenny quitta son bureau, laissant sa secrétaire répondre aux incessants appels téléphoniques. Depuis que la rumeur prétendant que Rafael était frappé par une malédiction avait pris consistance, le téléphone ne cessait de sonner...

Jenny s'attendait à être assiégée par les journalistes de la presse écrite et parlée. Elle n'avait pas pensé un seul instant que les malades allaient se sentir concernés! Sans parler des familles. Et aussi tout le personnel du Boston Harbour Hospital!

Bien entendu, elle avait démenti catégoriquement les bruits qui couraient. Mais personne ne la croyait, elle s'en rendait compte...

Un soupir gonfla sa poitrine.

« Que de complications! » songea-t-elle.

A l'hôpital... et jusque dans sa vie personnelle.

Pourquoi Brian était-il venu la voir, hier soir? Pourquoi l'avait-il embrassée? Et pourquoi avait-elle répondu à ses baisers?

« J'aurais dû avoir le courage de le repousser... », se dit-elle encore. « Heureusement, quand je l'ai vu ce matin, il s'est comporté de manière très naturelle... »

D'un pas vif, elle se dirigea vers la cafétéria où elle espérait trouver Mac MacClintock. Ce dernier, assis à une table du fond, était plongé en grande conversation avec une infirmière. Jenny la connaissait de vue. Ce fut seulement en arrivant tout près qu'elle lut son nom sur son badge: Heather Llewellyn.

Mac se leva, souriant.

— Bonjour, Jenny! Vous connaissez Heather, certainement?

— Oui, bien sûr...

La jeune infirmière semblait mal à l'aise.

— Merci pour le café, docteur..., murmura-t-elle avant de s'éclipser.

— Quelle adorable créature! soupira MacClintock en la suivant des yeux.

Jenny eut un rire moqueur. Elle savait que le médecin était un don Juan impénitent.

— Peut-on vous parler d'un autre sujet que des charmes de Mlle Llewellyn? demanda-t-elle.

— Nous pouvons parler de vous, suggéra-t-il. Vous avez de ravissants...

— Pas de flirt! Je vous assure que ce n'est pas le moment! Dites-moi, Mac, Rafael est-il oui ou non victime d'une malédiction? Dois-je croire ces balivernes?

— Vous m'avez déjà téléphoné hier pour me le demander. Je vous ai répondu que non!

— Qu'a-t-il, si ce n'est pas une malédiction, un mal inconnu venu du courroux des dieux?

Il la regarda sans mot dire.

— Je peux vous offrir un café? interrogea-t-il enfin.

— S'il vous plaît.

Il appela la serveuse et attendit qu'elle apporte leur commande pour reprendre la parole.

— Si vous voulez, je peux vous dresser la liste de toutes les maladies dont Rafael n'est pas atteint. Mais Rafael n'a pas une maladie inconnue, c'est une très forte fièvre accompagnée de crampes qu'il nous faudra élucider… Et oubliez la légende de la malédiction qui frappe tous ceux qui auraient profané les trésors des divinités amazoniennes. C'est ridicule!

Il secoua la tête.

— Je me demande qui a lancé un bruit pareil!

— Croyez-moi, j'aimerais bien le savoir, moi aussi!

— Je croyais que Rafael était un acteur, pas un aventurier!

— La malédiction ne frappe pas seulement les aventuriers… Mais tous ceux qui de près ou de loin ont participé à la profanation du trésor.

— Il y a de drôles de bruits qui circulent au sujet d'un trésor caché dans Boston… On dit même qu'il y aurait un trésor enfoui dans un des piliers du City Hall. Quelle rumeur extravagante!..

— En effet… La construction du City Hall associée à celle de l'hôpital de luxe a suscité bien des passions, au point que certains n'ont pas hésité à imaginer les raisons les plus folles…

— Et Krystal Shannon?

Il haussa les épaules.

— Rafael n'aime pas Krystal… Elle sert d'alibi pour cacher quelque chose à la presse!

— C'est ce que je me tue à répéter, mais personne ne veut me croire. Mais si nous ne pouvons pas dire ce qu'il a exactement, la rumeur va encore s'amplifier…

— Malheureusement, je n'ai encore rien trouvé! L'ennui, voyez-vous, c'est qu'il s'agit d'un enfant adopté, et que nous n'avons aucune trace de ses antécédents. Une vie aventureuse, un mystérieux passé d'acteur dans des studios secrets de Bolivie… Il nous est par conséquent impossible de connaître les éventuels points faibles transmis par hérédité ou à l'occasion d'un accident.

Jenny buvait son café à petites gorgées.

— Vous ne vous montrez pas très coopératif, Mac! Alors je dois simplement continuer à démentir les bruits concernant la malédiction? Je ne peux pas dire: « Il a ceci »?

— Hélas, pas encore. Mais dès que j'aurai établi mon diagnostic, vous serez la première prévenue.

— Merci..., fit-elle du bout des lèvres.

— Jenny!

— Oui?

— Tâchez de découvrir d'où provient la fuite. Cette Cassie Borden a réussi à acheter quelqu'un dans l'hôpital. Qui la renseigne? Une personne ayant accès au dossier de Rafael, c'est évident!

— Ne vous inquiétez pas, j'ai l'intention de tirer cette histoire au clair.

Après avoir quitté la cafétéria, elle se rendit directement au 4-A et consulta la liste des visiteurs. Ils n'avaient été que trois depuis le début de la journée.

— Tiens, Mme Hecht est venue ici? s'étonna Jenny.

— Oui, répondit le gardien. Elle est allée voir Gloria Norman.

Jenny ignorait qu'elles étaient amies. Mais par sa mère, Roberta Hecht connaissait forcément toute la haute société de Boston.

— Et Krystal Shannon?

— Elle semblait bouleversée. Probablement à cause de...

— ... du petit article fielleux signé par Cassie Borden, je présume ! termina Jenny. Tiens ! Je vois que Dawn Appleton s'est rendue elle aussi chez Rafael !

— Elle a fait une telle crise qu'il était difficile de l'en empêcher. On l'entendait hurler d'ici !

Jenny passa ensuite par le petit bureau des infirmières. Il était vide. Elle fronça les sourcils en voyant le dossier de Rafael traîner sur une table.

Une infirmière pénétra dans la pièce et Jenny jeta un coup d'œil à son badge pour se rafraîchir la mémoire. Leigh Mariner, lut-elle.

— Où est Hillary George ? s'étonna-t-elle.

— En pédiatrie. Son fils est malade.

— C'est vrai, j'avais oublié.

Jenny toisa la jeune infirmière d'un air dur.

— Mademoiselle Mariner, si Cassie Borden était entrée ici à ma place, elle aurait eu tout le loisir de consulter le dossier de Rafael ! Que fait-il ici ? Il devrait être sous clé !

Leigh rougit.

— Il se trouve en général sous clé. Je l'ai sorti pour inscrire la température de M. Rafael. Puis Mme Norman a sonné et...

Elle lut l'accusation dans les yeux de Jenny et sa rougeur s'accentua.

— Je n'ai pas été absente plus d'une minute.

— Une minute, c'est long !

— Excusez-moi…, bredouilla la jeune fille. Cela ne se reproduira plus.

— Je vais être obligée de demander à Mme Shaughnessy de vous transférer dans un autre service.

Leigh baissa la tête. C'était trop injuste… Mais que pouvait-elle dire ?

— Maintenant, je sais comment Cassie Borden a pu obtenir des indications aussi précises concernant l'état de santé de Rafael !

Leigh sursauta.

— C'est la première fois que je laisse ce dossier dehors ! protesta-t-elle. Il est toujours enfermé et…

— Comment voulez-vous que je vous croie maintenant ? coupa Jenny.

Après une brève pause, elle demanda :

— Savez-vous si M. Rafael a lu l'article de Cassie Borden ?

— Oui.

— Comment prend-il cela ?

— Pas trop mal.

D'un geste sec, Jenny referma le dossier et le tendit à la jeune infirmière.

— Voulez-vous remettre cela en place, s'il vous plaît ?

Laura Carlyle avait attendu le départ d'Hillary pour parler à Brian de sa brève visite au bloc

228

opératoire où officiait Ernest Wilkerson et Hugh Lampton.

A sa grande surprise, Brian ne parut pas choqué outre mesure.

— Des plaisanteries de carabin! Cela arrive...

— On voit que vous ne les avez pas entendus! J'exige leur renvoi à tous les deux, séance tenante!

— Sous quel prétexte? Turpitude morale... Impossible, voyons!

— Je ne veux pas que ces individus restent dans mon hôpital!

— Comme vous êtes entêtée, Laura.

Elle lui adressa un regard glacial.

— Je déteste ce mot.

— Vous vous arrêtez à des détails au fond sans réelle importance. Alors que je viens de vous mettre en garde contre les manigances de...

— Junior essaie depuis des années de prendre le contrôle du Boston Harbour Hospital! coupa-t-elle. Il n'y est jamais arrivé et n'y arrivera jamais!

— Si vous vous faites un ennemi de Wilkerson, il risque de se ranger du côté de Junior et de Constance.

Les yeux de Laura s'agrandirent.

— Il n'osera pas!

— Qui sait?

— Réfléchissez, Brian! Si Junior obtenait le contrôle du Boston Harbour Hospital, il s'empresserait de le vendre à des promoteurs immobiliers et Wilkerson n'aurait plus qu'à dire adieu à sa situation! Tout cela n'a aucun sens... même pour une vieille entêtée comme moi!

Brian comprit qu'elle ne lui en voulait plus.

— Vous n'êtes pas près d'oublier cela!

— Oh non!

Il sourit.

— Alors, j'avais raison. Vous êtes entêtée!

Hugh Lampton restait sous l'effet du choc.

— Tout le monde l'a vue. Sauf nous... Il paraît qu'elle était dans un état!

D'une main tremblante, il rejeta ses cheveux en arrière.

— Je suis fini ici! Fini...

Wilkerson haussa les épaules.

— Mais non! Ce qu'elle peut dire ou penser n'a aucune importance... Vous avez un bel avenir devant vous, Lampton!

— Laura Carlyle fait la pluie et le beau temps dans cet hôpital! Si...

— Les choses peuvent changer. Et plus vite que vous l'imaginez!

Il baissa la voix.

— Aimeriez-vous devenir responsable d'un service?

Hugh Lampton tressaillit.

— Evidemment ! Mais jamais *elle* ne me donnera de l'avancement après ce qui vient de se passer !

— Elle, non. Quelqu'un d'autre, peut-être... Je vous le répète, Lampton, les choses peuvent changer !

— Comment cela ?

— Soyez patient. Et faites-moi confiance !

Le jeune interne pinça les lèvres.

— Je ne demande pas mieux... Je crains cependant d'être grillé ici. Ce que j'aimerais, c'est travailler avec un groupe et...

Wilkerson eut un rire sarcastique.

— ... et vous faire beaucoup d'argent ? suggéra-t-il. Cela vous intéresserait d'aller chez mes amis Symington et Ness ? Si vous voulez, je peux leur parler de vous.

Lampton hésita. Symington et Ness, établis à Beacon Hill, avaient la plus huppée des clientèles. Dans les milieux bien informés, on prétendait qu'ils avaient réussi à accumuler une énorme fortune en pratiquant une médecine assez douteuse. Leur clinique marchait comme une usine et l'ordre des médecins, à la suite de plusieurs plaintes, menaçait d'ouvrir une enquête.

— Alors ? interrogea Wilkerson.

Lampton n'hésita plus.

— Oui, s'il vous plaît, dites-leur que cela m'intéresserait éventuellement de travailler pour eux...

Il pouvait toujours lancer des jalons. Et même si une offre lui était faite, rien ne l'obligeait à l'accepter.

Rafael ne dormait pas vraiment, même si ses yeux demeuraient clos. Il avait de la fièvre. Beaucoup de fièvre... Et des crampes répétées tordaient ses muscles douloureux. Mais il était trop faible pour réagir.

Et maintenant, il avait peur. Il se sentait gravement atteint. Les médecins devaient savoir, même s'ils prétendaient le contraire. Ils n'osaient pas lui dire qu'il était perdu. Mais comment croire à une malédiction?... Serait-ce le trésor caché dans les fondations du City Hall... ou du Boston Harbour Hospital! Car depuis la mort subite et mystérieuse du père de Dawn Appleton, personne ne savait, parmi les rares élus connaissant l'existence du trésor de Ravic, le prince légendaire de l'Amazonie, s'il avait été caché dans les fondations du City Hall ou dans celles de l'hôpital!

A l'autre bout de la chambre, Krystal Shannon et Larkin discutaient à mi-voix.

— Vous croyez à la malédiction? demanda l'actrice.

— Mais non, voyons! Les médecins sont catégoriques à ce sujet. Les quelques cas dans le passé ont tous été élucidés...

Krystal Shannon frissonna.

— La malédiction… C'est horriblement conta-gieux, paraît-il !

— Rafael n'a pas la malédiction ! assura l'impré-sario.

Il jura entre ses dents.

— Si j'attrapais celui qui a lancé cette rumeur, il passerait un mauvais quart d'heure, croyez-moi !

Krystal jeta un coup d'œil en direction du lit où gisait Rafael.

— Je ne suis pas très rassurée… Et s'il avait la malédiction ? Et si je l'avais attrapée ? Et si…

— Arrêtez de raconter n'importe quoi ! coupa Larkin avec agacement. Souvenez-vous que vous êtes ici pour faire croire à la presse que Rafael est un acteur. Personne ne doit apprendre quoi que ce soit d'autre. Vous connaissez le Colonel James ? On ne s'amuse pas avec lui. Fini Hollywood !

Elle frissonna de peur.

— Tout le monde dit qu'il a une malédiction sacrée, reprit-elle. C'est très mauvais pour sa car-rière ! Même si ce ne sont que des légendes…

Un sanglot la secoua.

— Et pour moi, c'est encore plus mauvais ! C'est la fin de ma carrière !

— Voyons, Krystal !

— Plus personne ne voudra me recevoir, hoque-ta-t-elle. Ah ! Vous avez eu une riche idée le jour où vous avez raconté à la presse que Rafael et moi filions le parfait amour !

— C'était une idée gé-nia-le ! Grâce à cela, vous êtes devenue une star à part entière ! Et nous avons pu dissimuler au monde entier la véritable identité de Rafael Ravic... Le prince descendant de la dynastie sacrée des Chefs indiens de l'Amazonie ! Ce blond aux yeux bleus a découvert qu'il appartenait, par sa mère, à la lignée princière de la légende amazonienne. Si l'on devait apprendre cela, le monde entier voudrait rechercher le trésor de Ravic, qui, selon la légende, « apparaîtra avec le prince au casque d'or et au regard turquoise, sous un temple de la côte Est ». Des fous se sont imaginé qu'il pouvait s'agir de Boston ! Faites-moi confiance. Vous verrez, tout s'arrangera ! Mais oubliez toute cette histoire...

Rafael aurait voulu leur dire de s'en aller. Mais il n'avait pas assez d'énergie pour parler, et encore moins pour se lever.

Leigh Mariner posa sur son front un linge frais et il eut un petit soupir. Avec effort, il souleva les paupières et ouvrit la bouche pour qu'elle y glisse le thermomètre.

« Comme elle est belle ! » songea-t-il.

Il lui prit la main. Elle la lui pressa et il se sentit soudain réconforté.

— Votre température descend, annonça-t-elle. Dieu soit loué !

Krystal Shannon fronça les sourcils en les voyant se tenir par la main.

— Vous travaillez aujourd'hui? demanda-t-elle à l'infirmière d'un ton sec.

— Oui. Nous sommes un peu débordés en ce moment au 4-A. Je prendrai mon jour de congé une autre fois...

— Vous resterez à l'hôpital toute la journée?

— Seulement jusqu'à midi. Puis je reprendrai mon service à quatre heures.

Une idée lumineuse frappa l'actrice.

— Je voudrais téléphoner, fit-elle en dissimulant un sourire.

Leigh désigna l'appareil posé sur la table de nuit.

— Non, je ne veux pas déranger Rafael..

— Vous trouverez une cabine près des ascenseurs.

— C'est vrai! Je m'en souviens maintenant...

Krystal Shannon se précipita hors de la chambre. Soudain, elle paraissait très pressée.

Jenny tendit à Brian un feuillet dactylographié.

— Que pensez-vous de ce communiqué à la presse?

Il parcourut rapidement les quelques lignes et secoua la tête.

— Un simple démenti? Ce n'est pas suffisant.

— Mac MacClintock ne sait toujours pas de quoi

souffre Rafael. Mais les résultats des examens sont formels : il n'est pas atteint d'un mal incurable ou inconnu.

Brian soupira.

— Quand rendrez-vous public ce communiqué ?

— Au cours de la conférence de presse qui aura lieu à...

Elle consulta sa montre.

— A 13 heures.

Brian fronça les sourcils.

— Vous allez faire entrer ici toute cette bande de limiers ? Ce n'est pas prudent, Jenny. Si l'un d'eux... On ne parle plus que de cette affaire en ville, il n'est question que de trésor, d'Amazonie, d'hôpital de tous les mystères, de tous les complots ! On va jusqu'à raconter que le trésor d'un prince amazonien serait enfoui dans nos murs... ce qui expliquerait les morts imprévisibles de ces derniers jours ! Boston est devenue folle !

— Ils iront du portail à la salle de conférence. Et de la salle de conférence au portail. Tout est arrangé, ne vous inquiétez pas. Il n'y aura pas de bavure...

Brian ne paraissait pas convaincu et elle insista :

— Il faut avoir l'air de coopérer avec la presse. Larkin sera là. Il ne demande qu'à répondre aux questions...

— Et Krystal Shannon.

— Je ne veux pas d'elle.

— Vous avez raison de vous montrer ferme. Mais vous avez eu tort en l'accusant d'être à l'origine des fuites... Dans cette histoire, et maintenant qu'il est question de malédiction, elle fait figure de victime ! Au même titre que Dawn Appleton, d'ailleurs ! Les gens s'imagine qu'elles seront les futures victimes de la malédiction des dieux...

— Oui, j'ai eu tort, admit Jenny. Je soupçonne maintenant l'une des infirmières du 4-A, Leigh Mariner. J'ai demandé à l'un des gardes de laisser son uniforme au vestiaire et de la suivre discrètement.

Brian sursauta.

— En voilà des méthodes !

— Voulez-vous que je fasse mon travail oui ou non ? Si elle n'a rien à se reprocher, cette filature ne lui fera ni chaud ni froid. Par contre, si elle est coupable...

Brian serra les lèvres.

— Faites comme vous voulez. Mais je n'aime pas beaucoup les procédés de ce genre.

Elle le fixa avec colère. Puis, tournant les talons, elle se dirigea vers la porte.

— Laura a pris une décision concernant la direction du service des soins, déclara Brian.

Jenny pivota sur elle-même. Déjà, il avait retrouvé son calme et son sourire. Sa mauvaise hu-

237

meur s'était envolée. De son côté, elle s'efforça d'oublier leur différend.

— Qui va-t-elle nommer ? interrogea-t-elle.

— Elle a proposé le titre à Hillary George.

— Vraiment ?

— Hillary n'a pas encore accepté. Mais je suis sûr qu'après un temps de réflexion elle dira oui.

— Cela va causer une véritable révolution dans les couloirs !

— Et nous aurons la plus jolie directrice du service des soins de tout Boston ! conclut Brian.

— Pourriez-vous me rendre un petit service, mademoiselle Mariner ? demanda Krystal Shannon.

S'imaginant que l'actrice voulait un autre whisky, Leigh se dirigea vers le téléphone.

— Bien sûr. Sans eau et avec de la glace comme d'habitude ?

Krystal fronça les sourcils sans comprendre.

— Non, non ! s'exclama-t-elle. Pas de whisky maintenant... Il s'agit d'autre chose.

Elle sortit de son sac une longue enveloppe scellée.

— Je sais que c'est beaucoup vous demander, mais comme vous devez sortir de toute façon... Moi, je me sens obligée de rester près de ce pauvre Rafael. Il est dans un tel état !

238

— La fièvre a un peu descendu.

— Si peu! Cela ne vous ennuierait pas de porter ce scénario à la Paramount? Rafael l'a lu et souhaite qu'on y apporte certaines modifications. Mais si le scénariste ne l'a pas en temps voulu, il sera trop tard... Vous comprenez?

A vrai dire, tout cela demeurait assez obscur mais Leigh ne connaissait rien au monde du cinéma. Faire un saut à la Paramount? Cela ne représentait pour elle aucune difficulté.

— Comptez sur moi, assura-t-elle.

— Vous êtes trop gentille! Ecoutez, tâchez d'être là-bas à midi et demi. Une femme vous attendra... C'est l'assistante du producteur. Il vous suffira de lui remettre cette enveloppe. Rien de plus!

— Elle saura que c'est Rafael qui m'envoie?

— Oui, oui. Je lui ai téléphoné en lui disant qu'on lui apporterait le scénario à 12 H 30 précises. Tout est arrangé!

A l'heure dite, Leigh arriva devant le siège de la Paramount au volant de sa voiture. Elle se gara en double file et descendit sa vitre. La femme d'une cinquantaine d'années qui se tenait sur les marches s'approcha d'elle.

— Vous venez de la part de Krystal Shannon?

— Tout juste...

Leigh lui tendit l'enveloppe en souriant.

— Il paraît que c'est urgent.

La femme la scrutait, les yeux rétrécis, et la jeune infirmière se sentit soudain mal à l'aise.

— Vous travaillez au Boston Harbour Hospital ?

— Oui. Krystal Shannon m'a demandé de vous apporter ceci pour rendre service à... euh... à un malade.

— Vous êtes infirmière ? Dans quel service ? A quel étage ?

— Il faut que je m'en aille, marmonna Leigh. Je gêne la circulation...

Elle démarra. Les sourcils froncés, Cassie Borden suivit des yeux la petite Ford rouge. Puis elle haussa les épaules et examina l'enveloppe. Krystal Shannon lui avait téléphoné dans le courant de la matinée, assurant avoir des informations capitales à lui communiquer au sujet de Rafael. Elle lui avait demandé de se trouver devant la Paramount à midi et demi.

Cassie Borden déchira l'enveloppe et en tira plusieurs feuillets de papier blanc.

— Mais qu'est-ce que cela veut dire ? grommela-t-elle.

Le mystère allait embraser tout Boston !

10.

Jenny était loin de s'imaginer que la conférence de presse serait aussi pénible. Elle avait dû affronter les envoyés spéciaux de la plupart des quotidiens et des hebdomadaires. Même le *Time* et le *Newsweek* s'intéressaient maintenant à la mystérieuse maladie dont était atteint Rafael.

Les reporters s'étaient montrés très agressifs. Ils ne s'étaient pas contentés du démenti apporté par Jenny : « Non, Rafael n'est pas victime d'une malédiction. » Elle avait espéré s'en tirer avec cela. Comme elle se trompait !

Ils n'avaient cessé de la bombarder de questions. S'il était pas victime d'une malédiction, de quoi souffrait-il ? Pourquoi ne pouvait-on pas dire la maladie qui l'atteignait ?

— Je ne sais pas. Personne ne le sait... Les médecins réservent toujours leur diagnostic.

Cela n'avait pas suffi à la meute... Pourquoi leur interdisait-on de voir l'acteur? Ils refusaient de croire qu'il était trop malade pour recevoir qui que ce soit.

Là-dessus, Larkin s'en était mêlé et son intervention avait fait plus de mal que de bien. Car il s'était fâché, réfutant rageusement les insinuations concernant le passé de Rafael.

La discussion était devenue de plus en plus passionnée. Larkin, furieux, avait failli en venir aux mains avec les journalistes. Jenny, pour éviter tout incident, avait déclaré la séance close.

Tremblante de colère, de frustration, et aussi d'humiliation, elle s'en prit à Leigh Mariner qui l'attendait dans son bureau, où elle l'avait convoquée avant de se rendre à la conférence de presse.

— Pourquoi avez-vous fait cela? attaqua-t-elle immédiatement.

Leigh la regarda sans comprendre, les yeux agrandis.

— Que voulez-vous dire? s'étonna-t-elle. De quoi parlez-vous?

— Vous avez un bon emploi ici, vous êtes bien payée, et on vous apprécie, c'est évident, puisqu'on vous a nommée au 4-A.

Elle croisa les bras.

— Alors pourquoi trahir notre confiance? Mais qu'avez-vous donc contre cet hôpital? Qu'avez-vous contre Rafael?

Sa véhémence laissa Leigh sans voix. Elle secoua la tête, puis ses yeux se remplirent de larmes.

— Vous avez un air très innocent, mademoiselle Mariner! s'exclama Jenny avec dégoût. Mais je ne m'y laisse pas prendre! Je *sais*! Oui, je sais qu'à midi et demi, aujourd'hui même, vous avez rencontré Cassie Borden, la journaliste, devant le siège des studios de la Paramount. Vous lui avez remis une enveloppe. Que contenait-elle?

— Je... je ne sais pas, balbutia la jeune fille.

— Oh! Je vous en prie! Cessez cette comédie! Je ne suis pas dupe! Qu'y avait-il dans cette enveloppe?

— Mon Dieu! s'exclama Leigh.

Elle était très pâle et avait peine à retrouver sa respiration.

— Je... je ne sais pas, répéta-t-elle. Je ne faisais que...

Jenny haussa les épaules.

— De toute manière, c'est sans importance maintenant, n'est-ce pas? Je saurai tout cela demain en lisant la colonne de Cassie Borden.

Elle donna un coup de poing sur son bureau.

— Insensé! C'est absolument insensé! Vous nous poignardez dans le dos et vous continuez à me regarder avec ces yeux candides… Je regrette de ne pas avoir le pouvoir de vous mettre à la porte sur le champ. Mais n'ayez crainte, vous ne perdez rien pour attendre ! Je me fais fort de trouver la personne capable de signer votre renvoi dans la journée !

D'un geste, elle la congédia.

— Vous pouvez sortir. Et n'essayez pas de nous nuire davantage car je n'hésiterais pas à porter plainte !

— Ecoutez-moi ! s'écria Leigh. C'est Krystal Shannon qui m'a demandé de porter ce… cette enveloppe. Elle contenait un scénario !

— Je vous ai dit de sortir. Allez ! Je ne veux plus vous voir !

Les victimes — toutes consentantes ! — du séduisant Dr Mac MacClintock n'étaient qu'une poignée quand Amy Wells et Ginger Rodgers avaient décidé de se venger de ce Casanova en blouse blanche. Mais d'autres étaient venues les rejoindre et les anciennes conquêtes de Mac atteignaient maintenant le nombre de vingt-neuf. Une véritable armée d'infirmières, de laborantines et d'internes s'efforçait d'empêcher le médecin d'arriver à ses fins avec Heather…

Amy Wells raccrocha le téléphone.

— Il vient de quitter l'hôpital ! Avec elle…

— Oh non !

— Où l'emmène-t-il ?

— Probablement chez lui. Tu y es allée ?

— Jamais.

— Que pouvons-nous faire ?

Ginger Rodgers ouvrit les mains dans un geste d'impuissance.

— Plus rien, hélas !

Tommy allait beaucoup mieux. L'alerte avait été sérieuse mais il se remettait et d'ici quelques jours, il obtiendrait probablement l'autorisation de quitter l'hôpital.

Après avoir vécu des heures d'angoisse, Hillary se sentait maintenant soulagée. Mais aussi épuisée... Elle s'efforçait de faire la lecture à son fils et avait peine à suivre le fil de l'histoire.

— Tu devrais rentrer à la maison et dormir, suggéra Tommy.

Elle sursauta.

— Quelle idée...

Et, reprenant le livre, elle murmura :

— Voyons, où en étions-nous ? Ah ! Christophe Colomb et la reine Isabelle... La découverte des Amériques et la civilisation inca...

— Maman, tu devrais aller te reposer.

— Mais je ne suis pas fatiguée, prétendit-elle.

Tommy insista gentiment et dix minutes plus tard, Hillary prenait l'ascenseur pour le 4-A.

Elle s'était efforcée de ne pas penser à la proposition de Laura Carlyle. Malgré elle, cependant, elle soupesait les pour et les contre de cette offre. Devenir directrice du service des soins au Boston Harbour Hospital? Quelle promotion... Même dans ses rêves les plus fous, elle n'avait pas imaginé qu'un jour elle arriverait à un tel poste. Le sommet de sa carrière, en fait.

Ce qui la gênait, c'était de passer devant tant d'autres infirmières plus âgées et ayant déjà atteint un certain rang dans la hiérarchie. Si elle acceptait, elle allait provoquer beaucoup de jalousies. Et peut-être aussi certaines inimitiés.

A qui pouvait-elle se confier? Elle ne voyait que Leigh Mariner... Et c'était avec l'intention de lui demander son avis qu'elle se rendait au 4-A.

Elle trouva Leigh dans un tel état qu'elle renonça à lui parler de ses propres problèmes. Peu à peu, elle parvint à calmer la jeune fille et à connaître les raisons de son désespoir.

Une demi-heure plus tard, Hillary pénétrait dans le bureau de Jenny Corban.

— Vous vous trompez complètement au sujet de Leigh Mariner!

Jenny haussa les épaules.

— C'est elle qui vous envoie?

— Non. Je l'ai trouvée en larmes. Elle ne voulait

rien me dire mais j'ai quand même réussi à savoir de quoi il en retournait.

— Elle a avoué connaître Cassie Borden?

— Elle m'a tout dit. Tout...

Hillary toisa Jenny d'un air accusateur.

— Tout ce que vous avez refusé d'entendre! ajouta-t-elle.

La colère de Jenny était tombée. Elle savait qu'elle se trouvait devant la future directrice du service des soins. Hillary allait avoir un poste encore plus important que le sien. Ce n'était pas le moment de s'en faire une ennemie.

— Asseyez-vous, Hillary, je vous en prie.

Elle soupira.

— Vous cherchez à défendre cette fille, malheureusement toutes les évidences sont là! Elle est allée aux studios de la Paramount et...

— Je sais ce qui s'est passé. Je comprends que vous vous soyez laissé abuser par des apparences. Mais Leigh s'est contentée de suivre les instructions de Krystal Shannon.

En quelques mots, elle rapporta à Jenny comment l'actrice s'était arrangée pour que Leigh rencontre Cassie Borden.

— Tout cela n'a aucun sens! s'exclama Jenny. Krystal Shannon n'a aucun intérêt à compromettre Leigh Mariner, voyons!

Hillary sourit.

— Mais si, justement! Pour la bonne raison qu'il n'y a rien — absolument rien! — entre Rafael et Krystal Shannon. Leur idylle a été montée de toutes pièces par Larkin pour des raisons publicitaires et d'autres raisons top secret sous couvert de la CIA. En réalité, Rafael ne peut pas souffrir celle qu'il est censé adorer.

Jenny eut un geste indifférent.

— Je veux bien vous croire, fit-elle du bout des lèvres. Cependant tout cela n'a rien à voir avec le fait que Leigh Mariner avait rendez-vous à midi et demi avec Cassie Borden devant la Paramount!

Hillary se mit à rire.

— Ah! Jenny, vous ne comprenez toujours pas? Nous nous trouvons tout simplement devant deux jeunes gens amoureux.

— Rafael et Leigh Mariner? Vous voulez rire!

— Cela n'a rien de si étonnant. Rafael est un homme simple, honnête et droit. On le dit descendant d'un prince de l'Amazonie ; eh bien, cela ne m'étonnerait pas, tant il semble noble et pur... malgré ses gentilles paroles à toutes les infirmières. Rien à voir avec la star inventée de toutes pièces par Larkin... Quant à Leigh, elle est adorable! Moi, j'applaudis des deux mains!

— Seigneur...

— Ce ne serait pas la première idylle ébauchée au Boston Harbour Hospital, remarqua Hillary.

Elle songeait à Maximillian Hill. Puis l'image d'Arthur s'imposa à elle...

— Krystal Shannon serait jalouse de Leigh Mariner? s'étonna Jenny.

— Exactement.

— C'est incroyable!

— Pas tant que cela... Mettez-vous à la place de Krystal Shannon. Si l'on vous appelait le *sex-symbol* du nouveau monde, accepteriez-vous aisément d'avoir pour rivale une petite infirmière de l'Iowa?

Jenny se renversa dans son fauteuil et contempla le plafond.

— Présenté de la sorte, c'est plausible, admit-elle enfin. Mais qu'y avait-il dans cette fameuse enveloppe?

— Un scénario, aurait dit Krystal Shannon à Leigh. A mon avis, rien du tout... Vous savez, Leigh n'a aucune méfiance. Si on lui demande un service, elle le rend aussitôt. Et si on prétend qu'il s'agit d'aider Rafael, elle n'y va pas, elle y court!

— Mais comment Krystal Shannon savait-elle que je faisais suivre Leigh?

— Elle n'était peut-être pas au courant. Elle a compté sur la chance...

— Et sans vous, Hillary, elle aurait réussi à éliminer sa rivale dans la journée!

Jenny était bonne joueuse.

— Merci d'être venue me trouver et d'avoir pris la peine de m'expliquer tout cela.

Son visage restait grave.

— Si Leigh n'est pas à l'origine des fuites... qui? Qui a pu révéler à la presse certains détails confidentiels? Qui a fait courir le bruit que Rafael était atteint d'un mal mystérieux?

— Certainement pas Leigh!

— Certainement pas Leigh..., fit Jenny en écho. Elle se leva.

— Comment va Tommy?

— Beaucoup mieux. Il m'envoie me reposer...

— Bonne idée!

Un sourire vint aux lèvres de Jenny.

— Hillary...

— Oui?

— Vous serez la meilleure directrice du service des soins que le Boston Harbour Hospital ait jamais eue!

Roberta prenait le thé avec sa grand-mère. Un vrai *five-o'clock* à l'anglaise, avec petits fours, sandwiches et canapés... Le Boston Harbour Hospital devait être le seul hôpital américain où l'on servait des thés de ce genre!

A vrai dire, Roberta aurait été beaucoup plus heureuse avec un cocktail. Mais elle connaissait assez Laura Carlyle pour ne pas faire état de ses préférences. Et sans se plaindre, elle buvait à petites gorgées sa tasse de thé.

250

Pour cette visite, elle avait mis une blouse en dentelle à col haut, agrémentée d'un nœud en velours noir. Elle se trouvait terriblement démodée ainsi vêtue. Cependant sa tenue avait beaucoup plu à sa grand-mère, qui ne lui avait pas ménagé les compliments.

— Veux-tu un sandwich au cresson? proposa Laura Carlyle. C'est très anglais, tu sais!

Sans enthousiasme, Roberta se servit.

— Pas mauvais...

Sa grand-mère se mit à rire.

— Mais il y a mieux! Si je devais commander mon dernier repas, je crois que je choisirais autre chose que des sandwiches au cresson!

Roberta se joignit à son hilarité. Les réflexions inattendues de Laura Carlyle la surprenaient toujours.

— Tout va bien avec Brian? interrogea brusquement la vieille dame.

Roberta s'attendait plus ou moins à une telle question. Sa grand-mère n'oubliait jamais de la poser... Parce qu'elle se doutait que tout n'allait pas pour le mieux dans le meilleur des mondes?

— Oh! Tout va bien, assura-t-elle. Bien sûr, il nous arrive de nous chamailler. Comme tous les couples...

— Rien de bien sérieux, j'espère. Les disputes sont nécessaires, selon moi. Elles permettent de dire ce que l'on pense et d'y voir plus clair.

Avec un sourire attendri, Laura Carlyle ajouta :

— Ton grand-père et moi avions nos petites mésententes…

Son visage redevint grave.

— Le problème, c'est quand mari et femme se querellent sans cesse sur un point — toujours le même — sans trouver de solution. Cela signifie qu'il existe une sérieuse difficulté. Es-tu de mon avis ?

— Euh… oui.

— Brian et toi avez des tempéraments si différents que des frictions me semblent inévitables. Je suis persuadée que si vous aviez un enfant, tout irait mieux.

Roberta ne manifesta aucune réaction et elle insista :

— J'aimerais tant que vous me donniez un petit-fils ou une petite-fille !

Elle hésita avant d'ajouter :

— Si cela t'inquiète de ne pas encore être enceinte, n'hésite pas à consulter le spécialiste de l'hôpital. Il est excellent ! Je crois que toi et Brian devriez…

C'était plus que Roberta pouvait en supporter.

— Nous n'avons pas eu de chance jusqu'à présent, coupa-t-elle. Mais il faut savoir se montrer patient…

Laura devina son embarras et, au grand soulagement de la jeune femme, abandonna ce sujet délicat.

— Les bruits qui courent au sujet de Rafael me rendent malade! Comment peut-on raconter que ce garçon a la malédiction? Et il faut que cela arrive pendant qu'il se trouve au Boston Harbour Hospital!

La vieille dame haussa les épaules.

— Bien entendu, il n'y a pas un mot de vrai dans cette rumeur!

— Qui peut renseigner la presse avec autant de précision sur le passé de Rafael? Quelqu'un ayant accès aux dossiers personnels confidentiels, forcément...

Le visage de Roberta se durcit.

— Selon moi, toutes les difficultés viennent de l'assistante de Brian! Comment s'appelle-t-elle, déjà?

— Jenny Corban. Mais elle est très compétente, tu sais! Je n'ai jamais eu à me plaindre d'elle et...

— Elle est chargée de la sécurité et des relations avec la presse. Si elle n'est pas capable d'empêcher des fuites de ce genre, c'est qu'elle est incapable de remplir les fonctions qui lui sont confiées.

— As-tu parlé de cela à Brian?

— Oui.

— Et qu'a-t-il répondu?

Roberta soupira profondément.

— Il a pris sa défense, naturellement. Comme je m'y attendais, d'ailleurs... Et cela m'a valu une scène.

— Mon Dieu !

— Je crains que Brian ne s'intéresse un peu trop à cette femme.

Laura Carlyle enveloppa sa petite-fille d'un regard stupéfait.

— Ce n'est pas possible ! Jamais Brian ne... Non, je ne crois pas à cette histoire.

— Brian est un homme très séduisant. Elle est jeune et jolie. Ils travaillent ensemble... Des histoires de ce genre arrivent tous les jours !

— Ecoute, je vois Brian quotidiennement. Pas une seule fois je n'ai eu l'impression qu'entre Jenny Corban et lui...

Elle secoua la tête avec véhémence.

— Non, je n'y crois pas !

— Moi non plus, je ne voulais pas y croire au début. Puis j'ai dû me rendre à l'évidence. Pourquoi Brian a-t-il pris comme assistante une jeune personne n'ayant aucune expérience dans ce domaine bien particulier : la sécurité dans un hôpital privé ?

Roberta eut un petit rire.

— Tout simplement parce qu'elle a de beaux yeux verts !

— Mon Dieu ! répéta Laura.

254

Elle était choquée, mais pas du tout dans le sens voulu par Roberta. Selon elle, si une femme voulait la réussite de son mariage, elle devait savoir fermer les yeux à bon escient. Elle avait agi ainsi autrefois avec Oliver Carlyle...

Laura adorait sa petite-fille. Mais elle tenait à l'amitié de Brian. Elle appréciait ses qualités professionnelles et savait que jamais elle ne retrouverait un directeur aussi capable. Ni aussi susceptible... Car il risquait de lui remettre sa démission si elle avait la maladresse de mettre en doute la compétence de Jenny Corban et de lui demander pourquoi il l'avait engagée.

— Je vais voir ce que je peux faire, Roberta, déclara-t-elle enfin.

La jeune femme était très désappointée. Sa grand-mère cherchait seulement à gagner du temps... Elle s'imaginait qu'elle allait immédiatement la gagner à sa cause. Mais Laura Carlyle ne semblait même pas indignée!

— Si cette Jenny Corban partait, ma vie serait plus simple, soupira Roberta.

Elle avait peine à cacher son irritation.

— As-tu vu ton oncle Junior récemment? interrogea Laura.

— Pourquoi?

— Il manigance quelque chose... Pour changer! Voici des années qu'il cherche par tous les moyens à prendre le contrôle de l'hôpital. Il aurait pu laisser échapper une information quelconque à ce sujet... L'as-tu vu récemment? redemanda-t-elle.

Roberta avala sa salive.

— Je... je l'ai aperçu l'autre jour chez maman. Il n'a rien dit de... de spécial.

— Ah! fit seulement Laura.

Elle ne quittait pas sa petite-fille des yeux. Elle ne la croyait pas...

Ce n'était pas la première fois qu'Heather accompagnait un homme chez lui. Mais c'était la première fois qu'elle voyait un appartement aussi en désordre...

Des revues médicales, des magazines, des livres et de vieux journaux traînaient partout, en compagnie d'assiettes et de verres sales. Sans compter les vêtements jetés dans tous les coins du living!

Mac lui-même semblait gêné.

— Je ne suis pas très ordonné, avoua-t-il. Mais ici, au moins, nous ne serons pas dérangés par le téléphone! Nous n'avons pas eu de chance, ces derniers temps. Pas moyen d'être tranquilles cinq minutes...

Jamais il n'amenait ses conquêtes chez lui. Tout se passait d'habitude dans son bureau, où il disposait d'un confortable canapé de cuir et où il pouvait s'enfermer à clé. Mais le mauvais sort semblait s'acharner contre eux. Et en désespoir de cause, il s'était résigné à emmener la jeune femme dans son appartement de célibataire endurci.

Heather ne tarda pas à oublier le fouillis qui l'entourait dans les bras de Mac MacClintock.

Leigh Mariner reposa le téléphone et ferma les yeux tandis qu'un soupir de soulagement s'échappait de ses lèvres. Jenny Corban venait de l'appeler pour s'excuser.

— Je ne vous ai pas laissé le temps de vous expliquer et je vous ai jugée sur des apparences. Je le regrette… Oublions tout cela, voulez-vous ?

— N'en parlons plus. Merci de m'avoir appelée…

C'était Hillary George qu'il lui fallait remercier. Sans son intervention, elle ne serait probablement pas restée longtemps au Boston Harbour Hospital.

Non, elle n'en voulait nullement à Jenny Corban. A sa place, n'aurait-elle pas tiré les mêmes conclusions ? Par contre, jamais elle ne pardonnerait à Krystal Shannon de l'avoir ainsi trompée. L'actrice avait trahi sa confiance.

Cela signifiait-il qu'il fallait se méfier de tous les acteurs ? De Rafael comme des autres ? Certes, il n'avait rien à voir dans cette vilaine histoire… Ce n'était pas lui qui l'avait envoyée porter une enveloppe à Cassie Borden. Malgré tout, Leigh demeurerait maintenant sur la défensive. Ce n'était pas un acteur comme les autres ! Un terrible secret pesait sur ses épaules...

Rafael allait un peu mieux. Le barbier était venu le raser et cela lui avait tout de suite donné meilleure mine. Assis au bord de son lit, il attendait des visites. Pourtant son regard, malgré le désir de paraître enjoué et coquin, était sombre et triste, hanté par le secret que tout Boston à présent voulait connaître.

De vagues connaissances qui étaient venues lui rendre visite ne tardèrent pas à prendre congé car Rafael commençait à se fatiguer. Parmi le petit groupe, un jeune s'attarda quelques instants après les autres.

— Je ne sais pas si cela a une importance ou non, dit-il à la jeune fille. En réalité, je ne vois pas le rapport que cela pourrait avoir avec la maladie de Rafael...

— Cela ?

— Voilà, quelques jours avant son entrée à l'hôpital, nous avons revu Rafael, après bien des années. Il était furieux. Il racontait qu'il était de passage à Boston... Il venait d'apprendre que la CIA l'avait retrouvé ! Il voulait passer inaperçu à Boston, il disait qu'il avait encore quelques affaires personnelles à régler... Il semblait très nerveux et surtout très épuisé physiquement. Il en voulait au monde entier! A Krystal Shannon, à son ex-femme, à Larkin... « Tout ce qui les intéresse, c'est l'argent! » criait-il. « Pendant que je suis à la recherche de mon honneur, de mes origines, ils viennent rôder autour de moi comme des vautours... Nous en parlions tout à l'heure, justement! Il semblait infatigable et quand, épuisés, nous l'avons supplié d'arrêter, il n'a rien voulu entendre. Je ne sais pas ce qui lui a pris ce jour-là! Jamais je ne l'avais vu dans cet état de nerfs. Et le lendemain, il est tombé malade. La CIA l'a fait enlever, probablement, et quelques jours plus tard, il était admis ici par l'entremise de son médecin personnel à Boston.

— A-t-il déjà eu des fièvres de ce genre?

— Je ne le pense pas.

Leigh ne savait que dire ni que penser.

— Je ne sais si cela a une importance, mais je peux toujours en parler au Dr MacClintock...

— Cela n'a peut-être rien à voir avec sa maladie. Mais on ne sait jamais! Attention, pas un mot sur les actions de nos services secrets... Je ne pense pas d'ailleurs que cela ait à voir avec sa maladie.

Là-dessus, il prit congé et Leigh retourna dans la chambre de Rafael, qui venait de sonner.

— Cela vous ennuie que je vous appelle tout le temps? demanda-t-il.

— C'est mon travail. Et j'avais l'intention de vous remettre au lit.

Il semblait fatigué et elle craignit que sa température ne soit remontée.

— Ils sont sympathiques, n'est-ce pas?

Elle sourit.

— Très.

— Eux sont mes vrais amis.

Il fit une grimace.

— Pas les espèces de clowns que vous avez eu l'occasion de voir. Ceux qui me donnent du Rafael à longueur de journée...

Il tendit la main vers elle.

— Leigh...

— Oui?

— Je ne fais pas vraiment partie du monde du cinéma! Je n'ai rien de commun avec Larkin ou avec Krystal Shannon. Je me sens infiniment plus proche de vous...

— Je comprends, assura-t-elle. Maintenant, il faut que vous vous reposiez.

Elle voulut l'aider à s'allonger mais il la saisit par les poignets et l'attira contre lui. Sans songer à résister, elle lui tendit ses lèvres.

Les yeux clos, Leigh frémissait des pieds à la tête. Puis elle retrouva ses esprits et, doucement, se dégagea. Il ne chercha pas à la retenir.

— Excusez-moi, murmura-t-il. Je suis peut-être contagieux.

Elle le regarda sans mot dire. Le mal dont il

souffrait était peut-être contagieux mais elle se sentait immunisée. Par contre, elle se savait très vulnérable à la maladie d'amour...

— Mais pourquoi? demanda Maximillian Hill.

Hillary soupira. Elle venait de lui dire qu'il était préférable qu'ils ne se voient plus. Et il n'acceptait pas aisément sa décision.

— Donnez-moi au moins une raison, insista-t-il.

De nouveau, elle soupira.

— Cela n'a rien à voir avec vous personnellement... Voyez-vous, je rêve de mener une vie sans complications. Tommy prend une bonne partie de mon temps...

— Je croyais qu'il allait mieux.

— Cette fois. Mais que se passera-t-il s'il a une autre crise? Je ne peux pas imposer cela à un homme, ce serait trop injuste...

— La vie est injuste, de toute manière.

Elle changea brusquement de sujet de conversation.

— On m'a offert la direction du service des soins au Boston Harbour Hospital.

— Oh! Félicitations! Quelle promotion!

— En effet... Je suis tentée d'accepter, en dépit de tous les obstacles. Car ma nomination risque de ne pas être au goût de tout le monde!

— Vous êtes assez solide pour faire face.

— Je l'espère... Je me sens capable de mener de front ma vie professionnelle et ma vie de mère de famille. Par contre, je ne me sens pas le courage...

— ... d'avoir un homme dans votre vie?

— Oui, fit-elle dans un souffle.

D'un trait, il termina son cognac. Puis il l'embrassa sur les lèvres. Très doucement, très légèrement.

— Il y a quelqu'un d'autre, n'est-ce pas? demanda-t-il tout bas. C'est cela, le nœud du problème.

Ses cils interminables s'abaissèrent sur ses prunelles pailletées d'or. Elle aurait voulu lui parler d'Arthur, mais elle avait promis à ce dernier de ne jamais trahir leur secret.

— Je suis libre de vous aimer, Maximillian, assura-t-elle.

Il se redressa.

— Vous êtes experte dans l'art de doser le chaud et le froid...

— Je vous en prie, ne vous fâchez pas!

— Je ne suis pas fâché. Seulement amer et déçu... Mais malgré tout, je ne crois pas que tout soit fini entre nous deux, Hillary.

Jenny Corban avait travaillé très tard. Puis elle s'était arrêtée dans un restaurant pour dîner rapidement avant de rentrer chez elle.

La voiture de Brian était garée devant l'immeuble. Il en sortit pour venir à sa rencontre.

— Je peux aller chez vous?

— Non.

— Alors venez faire un tour en voiture. J'ai à vous parler.

Il se dirigea vers les collines qui dominaient Boston.

— J'ai vu la conférence de presse à la télévision...

— Pas très réussie, n'est-ce pas?

— Tant que nous ne saurons pas de quoi souffre Rafael, les interrogations subsisteront. Et les rumeurs les plus folles iront bon train...

Il crispa ses mains sur le volant.

— Je songe à quitter le Boston Harbour Hospital, Jenny.

Dans l'obscurité, elle se tourna vers lui mais demeura silencieuse.

— Si je partais, je serais libre de divorcer, poursuivit-il. Rester, c'est voir s'éterniser une situation sans issue. Car ce mariage raté et ma situation vont de pair. De plus, il se passe dans cet hôpital de drôles de choses, qui n'ont rien à voir avec notre mission de soigner et de guérir nos semblables...

Elle avala sa salive.

— J'ai tort de vous écouter parler ainsi.

Il haussa les épaules.

— Pourquoi pas?

Il arrêta brusquement sa voiture.

— Cela vous concerne tout autant que moi!

L'instant d'après, elle était dans ses bras et répondait à ses baisers avec une passion dont elle était la première à s'étonner. Le désir la submergeait.

— Jenny, je vous aime...

Il déposa sur son visage une pluie de baisers.

— Brian! fit-elle dans un sanglot.

Elle s'accrocha désespérément à lui.

— Qu'allons-nous faire? Qu'allons-nous devenir?

— Tant que le divorce ne sera pas prononcé, nous devons nous montrer très prudents.

Avec une infinie douceur, il lui caressa le visage.

— Il nous faut attendre... Je ne veux pas lui donner des armes qu'elle serait capable d'utiliser contre vous. Ou contre moi!

Elle se blottit contre lui.

— Je saurai être patiente, promit-elle.

11.

Rafael Ravic avait passé une très mauvaise nuit. Sa température avait monté jusqu'à plus de 45° et il avait longtemps déliré avant de sombrer dans l'inconscience. La fièvre commençait à baisser. Oh! Très légèrement. Le thermomètre marquait maintenant 41°, et il était sorti de son état comateux pendant quelques instants avant de s'endormir. Il avait un peu déliré et parlé de « trésor », de « temple »...

Debout au pied du lit, Mac MacClintock le regardait avec inquiétude.

— Je me sens totalement impuissant, dit-il tout bas à Hillary qui surveillait la tension du malade. Si nous n'arrivons pas à découvrir la cause de son mal, il est perdu... De tels accès de fièvre, vous imaginez? Je redoute que son cerveau ne soit déjà atteint...

— Mais que peut-il avoir? Vous n'avez aucune théorie?

— Aucune! J'ai l'impression de me cogner la tête contre un mur. Les antibiotiques n'ont eu aucun résultat. Tous les examens ont été faits et refaits sans nous apporter le moindre indice... Rien! C'est à désespérer! Comment voulez-vous le traiter dans de telles conditions?

Il eut un rire amer.

— Et l'on parle des miracles de la médecine moderne!

— Je ne sais que dire, soupira Hillary. Vous faites tout votre possible...

— Mais apparemment, ce n'est pas assez! Je devrais faire appel à un spécialiste. Mais *quel* spécialiste?

Ensemble, ils quittèrent la chambre.

— On m'a dit que Tommy allait beaucoup mieux, déclara soudain le médecin.

— Oui, il a surmonté la crise.

Hillary sourit.

— Vous voyez, la médecine réalise parfois des miracles!

Quand il ne se trouvait pas auprès d'un malade, le Dr MacClintock redevenait le charmeur dont Hillary avait appris à se méfier.

— Laura Carlyle m'a appris — sous le sceau du secret — qu'elle vous avait proposé le poste d'Abby Main. J'espère que vous allez accepter...

— Je réfléchis toujours. Mais j'admets être tentée...

Il se pencha et, dans le creux de son oreille, murmura :

— J'ai toujours rêvé de tenir la directrice du service des soins dans mes bras.

— Cela ne risque pas de vous arriver, rétorqua-t-elle en riant. Tout au moins pas au Boston Harbour Hospital !

Laura Carlyle avait d'abord songé à aller trouver Jenny Corban dans son bureau, au cours de l'une de ses « tournées ». Puis elle avait pensé l'inviter à prendre le thé. Après réflexion, elle avait rejeté ces deux idées. Car ce qu'elle voulait, c'était voir Jenny Corban et Brian ensemble. Elle les avait donc conviés à partager son petit déjeuner.

Jenny avait été assez surprise quand Brian lui avait appris, dès son arrivée à l'hôpital ce matin-là, qu'elle était attendue à la tour Carlyle.

« Que peut-elle bien me vouloir ? » ne cessait-elle de se demander.

Elle avait déjà fait un solide petit déjeuner et n'avait guère envie de recommencer... Mais discutait-on les ordres de Mme Carlyle ?

Cette dernière lui souriait.

— Je vous ai demandé de venir pour vous connaître un peu mieux...

Toute une série de questions suivirent. Où était-elle née, combien de frères et sœurs avait-elle, où avait-elle fait ses études, où avait-elle été employée avant de venir au Boston Harbour Hospital...

« Mais où veut-elle en venir ? » s'étonna intérieurement Jenny.

— Avez-vous déjà été mariée ?

Involontairement, le regard de Jenny se posa sur Brian.

— Non, madame.

— Oh ! Cela ne tardera sûrement pas... Vous êtes si jolie ! Ce n'est pas votre avis, Brian ? Elle a de très beaux yeux, n'est-ce pas...

Brian éclata de rire.

— On a le droit de vanter les qualités professionnelles d'une employée : son habileté, son efficacité, son intelligence... Mais on évite en général les commentaires concernant son apparence. C'est une loi non écrite...

Laura se mit à rire à son tour.

— Une vieille femme comme moi a le droit de faire des compliments !

Elle tapota la main de Jenny.

— Oui, vous êtes ravissante, mon enfant !

La jeune femme ne put s'empêcher de rougir.

Laura, qui l'observait avec attention, était déjà arrivée à une conclusion : si ces deux-là n'étaient pas encore amoureux l'un de l'autre, ils ne tarderaient pas à l'être... Roberta avait raison !

— Croyez-vous que nous aurions pu éviter cette déplorable rumeur concernant Rafael ? interrogea-t-elle soudain.

Jenny retint sa respiration. Voilà où elle voulait en venir...

— Peut-être. Mais je doute que nous sachions jamais qui a révélé à la presse la présence de Rafael au Boston Harbour Hospital. Je soupçonne fort Krystal Shannon. C'est...

— Je sais qui elle est.

— Quant aux informations concernant l'état de Rafael, elles viennent forcément de l'hôpital. Quelqu'un ayant accès à son dossier les communique à la presse.

— Qui ? Vous n'avez aucune idée ?

— Jusqu'à présent, non. Hier, je croyais avoir découvert la coupable. Je m'étais trompée...

En quelques mots, elle relata l'histoire de Leigh. Laura Carlyle hocha la tête.

— Vous avez eu raison de vous fier au jugement d'Hillary. Dites-moi... A votre avis, qui a pu raconter que Rafael était atteint d'une malédiction ?

— La menace de la malédiction plane partout... Surtout depuis la mort de Rock Beddow, le célèbre anthropologue spécialiste des Incas. Terrifiés, les gens voient le spectre de la terrible maladie se profiler partout. L'ennui, c'est que nous restons incapables de diagnostiquer l'origine de sa fièvre...

— Je comprends, murmura Laura Carlyle. Croyez-vous cette Krystal Shannon capable de...

— De répandre ce bruit ? coupa Brian. Certainement pas ! Elle n'y a pas intérêt ! Pas plus, d'ailleurs, que l'ex-femme de Rafael. Puisque la légende raconte que la malédiction frappera tous les proches des sacrilèges...

— Non, évidemment, fit Laura d'un air pensif. Elle se tourna vers Jenny.

— J'espère que vous découvrirez bien vite la solution de l'énigme. Je compte alors sur un rapport très complet...

— Bien entendu, madame.

— Vous viendrez me l'apporter vous-même. N'est-ce pas, Jenny ? Il faut que nous nous voyions plus souvent, toutes les deux...

A l'adresse de Brian, elle déclara :

— J'ai consulté mon avocat. Je voulais savoir s'il m'était possible de modifier les termes de l'accord par lequel chacun des grands patrons dispose de 5 % des actions. C'est impossible pour le moment, hélas ! Il me faut attendre ou bien leur mort, ou bien leur mise à la retraite pour modifier les documents que je ferai signer à leurs remplaçants.

— Quel dommage ! J'avais espéré que l'on pouvait légalement arranger les choses de ce côté...

Laura Carlyle se leva.

— Il nous reste à attendre la réunion du conseil d'administration. Nous verrons ce qui se passera...

Roberta venait à peine de se réveiller quand on sonna. En robe de chambre, à moitié endormie, elle alla ouvrir. Sa mère se tenait sur le seuil, vêtue d'un ensemble en soie noire.

Elle tournoya sur ses sandales à talons aiguilles.

— Que penses-tu de ma tenue ? Ai-je l'air d'une digne actionnaire du Boston Harbour Hospital ?

Roberta bâilla.

— C'est aujourd'hui qu'a lieu la réunion du conseil d'administration ?

— Mais oui. J'avais encadré la date en rouge sur mon calendrier.

Roberta se frotta les yeux.

— Tu veux un peu de café ?

— Bonne idée...

Toutes deux se dirigèrent vers la cuisine ultramoderne. La cafetière était branchée et Roberta remplit deux tasses.

— Tu ne préférerais pas quelque chose de plus fort pour te réveiller ? lui demanda sa mère.

— Bof, n'importe quoi..., marmonna Roberta. Tu trouveras du jus de tomate dans le frigo. Et de la vodka sur l'étagère.

— Tu es dans un état... Tu es sortie hier avec ton mari ?

— Mon mari ! ricana Roberta. Il passe tout son temps avec une blonde... Oh ! Il ne l'a pas cherchée bien loin. C'est son assistante !

— Tu es sûre ?

— J'ai fait appel à un détective privé. Il doit m'apporter des photos...

— Vraiment ! s'écria Constance.

Elle n'en pouvait plus de curiosité.

— Quelle suite comptes-tu donner ?

— Je ne sais pas encore...

Constance se frotta les mains.

— Mais c'est passionnant ! Entre le conseil d'administration et les infidélités de Brian Hecht ! Oh ! Quelle journée palpitante !

Elle servit à sa fille une *Bloody Mary* — vodka et jus de tomate. Roberta en but une longue gorgée avant de s'essuyer les lèvres.

— Alors vous allez prendre le contrôle de l'hôpital ?

— C'est chose faite. Puisque Wilkerson a promis de voter pour nous, nous aurons la majorité ! Mais cela ne semble pas te plaire... Pourtant, j'ai appris certaines choses qui pourraient t'intéresser...

— Tu ne vas pas me dire que tu crois toi aussi à toutes les légendes que la rumeur populaire colporte depuis ces derniers jours !

— Je n'en dirai pas plus... Mais pourquoi voudrais-tu que nous laissions l'hôpital être dirigé par l'équipe actuelle?

Roberta ouvrit les mains dans un geste impuissant.

— Toi, tu vas recevoir beaucoup d'argent. Junior aussi. Mais moi, qu'est-ce que j'aurai? Rien... Il faut que j'attende la mort de ma grand-mère pour hériter. Peut-être!

Constance se mit à rire.

— Tu es sotte de te faire du souci! Tu sais bien que je suis là. Je t'aiderai. Je t'ai toujours aidée, non?

Elle continuait à rire.

— Et avec un peu de chance, la vieille sorcière aura une crise cardiaque en voyant son cher hôpital lui échapper...

Laura Carlyle pénétra sur la pointe des pieds dans la chambre de Miles Hathaway. Elle croyait qu'il dormait, mais il ouvrit les paupières quand elle s'approcha du lit.

— Savez-vous que vous êtes plus belle que jamais, Laura? Si ce vieil Oliver pouvait vous voir maintenant...

Il sourit d'un air malicieux.

— J'ai une idée! Marions-nous, tous les deux. Juste pour montrer au monde entier qu'il y a encore beaucoup de vitalité dans nos vieilles carcasses...

Miles Hathaway avait été l'un des meilleurs amis du mari de Laura.

— Dans la vôtre peut-être. Pas dans la mienne, soupira-t-elle. Quand cesserez-vous de dire des bêtises?

— Jamais, j'espère... Vous êtes gentille de venir me voir, Laura.

— Je serais venue plus tôt mais vous n'aviez pas le droit de recevoir de visiteurs.

Elle le menaça du doigt.

— Il paraît que vous ne voulez pas vous laisser soigner!

— Quand j'aurai fini mon film.

— Votre santé avant tout...

— Mais je suis en pleine forme! Je me sens comme...

— ... comme un octogénaire au cœur malade! termina-t-elle à sa place.

Mac MacClintock apparut sur ces entrefaites.

— J'essaie de faire entendre raison à votre malade, lui dit Laura.

A son expression, elle comprit qu'elle devait éviter de fatiguer le metteur en scène. Elle se leva et, impulsivement, se pencha pour déposer un léger baiser sur la joue ridée du vieil homme.

— Je vous laisse. Je reviendrai bientôt vous voir...

— Tâchez de me faire sortir d'ici, Laura!

— Comptez sur moi ! promit-elle, les larmes aux yeux.

Mac sortit avec elle.

— Je n'ai pas le temps de me rendre à la réunion du conseil d'administration, déclara-t-il. Vous avez mon pouvoir, n'est-ce pas ?

— Oui. Merci.

Elle jeta un coup d'œil à la porte de la chambre de Miles Hathaway.

— Comment va-t-il ? Il m'a paru très fatigué…

— Il veut à toute force recommencer à tourner. Mais s'il se remet au travail, c'est un homme mort.

Ernest Wilkerson mit un point d'honneur à arriver le dernier dans la salle du conseil d'administration.

Junior Carlyle, installé en bout de table, feuilletait un dossier d'un air important. Il était méconnaissable… Pour une fois, il avait remplacé ses tenues fantaisie par un strict costume gris à fines rayures. Il avait même renoncé à sa perruque et son crâne chauve brillait sous les lumières.

Le personnage équivoque dont tout le monde se moquait à Hollywood s'était transformé du jour au lendemain en respectable homme d'affaires dans la ville sérieuse de Boston.

Constance Carlyle avait pris place à sa droite. Elle aussi avait soigné son apparence. Son ensemble noir, relativement discret, la flattait beaucoup plus que les robes voyantes et trop décolletées qu'elle affectionnait d'ordinaire. Dans les années cinquante, Constance avait eu un certain succès. Quand donc comprendrait-elle que son temps était fini ?

Laura s'était assise à l'opposé de Junior, encadrée par Brian d'un côté et Rosella de l'autre.

— Le Dr MacClintock ne sera pas des nôtres aujourd'hui, annonça-t-elle.

— Vous avez son pouvoir comme d'habitude ? demanda Junior.

Même sa voix était devenue plus grave, sans ces notes aiguës de fausset qui lui étaient coutumières.

A la demande de la présidente, Rosella commença à lire l'ordre du jour. Puis Brian exposa le rapport financier.

Wilkerson n'écoutait pas cette litanie de chiffres. Il se tourna vers Junior qui lui adressa un clin d'œil. Puis il redonna son attention à Laura Carlyle. Cette dernière semblait être passionnée par le rapport.

Wilkerson serra les dents. La veille, Laura Carlyle était venue le trouver...

— J'ai eu tort de vous demander votre démission. Quelle erreur ! N'êtes-vous pas l'un des meilleurs chirurgiens de toute la Californie ? Je vous en prie, oubliez ce que j'ai dit. Une vieille femme comme moi devrait réfléchir davantage...

Il savait qu'elle ne pensait pas un mot de tout ce discours. D'ailleurs, elle ne l'avait pas regardé une seule fois dans les yeux en parlant !

Mais elle avait dû avoir vent des projets de Junior. Et elle essayait de garder le contrôle de l'hôpital par tous les moyens... Elle en était réduite à lui proposer de rester grand patron du service chirurgie, alors qu'en réalité, elle souhaitait son départ.

Trop tard... Il avait sa fierté... Et Junior Carlyle, en le mettant au courant, lui avait ainsi offert beaucoup plus que n'importe quelle autre offre de promotion ! D'ailleurs le poste d'administrateur du Boston Harbour Hospital était à sa portée ! Il allait devenir directeur général à la place de Brian Hecht ! La vie avait de ces ironies...

Bien entendu, il n'avait rien dit de tout cela à Laura Carlyle. Elle l'apprendrait bien assez tôt !

Sa secrétaire venait de prévenir Jenny que Mme Hecht la demandait au téléphone.

— Allô ? fit la jeune femme avec une certaine méfiance.

— Ma chère, il faut absolument que nous déjeunions ensemble ! fit Roberta d'une voix mielleuse.

Cette invitation imprévue laissa la jeune femme sans voix.

— Mais... pourquoi, madame Hecht ? demanda-t-elle enfin.

— Je vous en prie, appelez-moi Roberta! Tout le monde m'appelle ainsi. Même Brian... quand j'ai l'occasion de le voir, du moins! Alors, entendu, nous déjeunons ensemble aujourd'hui?

Jenny demeurait sur ses gardes.

— Je ne sors pas à l'heure du déjeuner, madame. Je me contente en général d'un sandwich à la cafétéria...

— Quelle employée modèle! se moqua Roberta. Mais pour une fois, vous pouvez vous accorder un peu de liberté. Je suis sûre que Brian n'y verra aucun inconvénient.

— J'ai beaucoup de travail aujourd'hui, madame. Peut-être une autre fois?

Un silence pesa. Et quand Roberta recommença à parler, sa voix de miel s'était transformée en vinaigre.

— Je vous conseille de vous trouver dans une demi-heure au bar de l'hôtel Wilshire. Sinon, c'est Brian qui en supportera les conséquences.

Là-dessus, elle raccrocha brutalement. Stupéfaite, Jenny contempla l'écouteur devenu muet. Que signifiaient donc ces menaces?

Brian venait de terminer la lecture du rapport financier.

— Des questions, des commentaires? interrogea Laura.

Son regard fit le tour de la table et s'arrêta plus longuement sur Junior.

— Comme vous pouvez le constater, les bénéfices sont en augmentation constante et les dividendes se trouveront une nouvelle fois majorés.

Personne ne manifesta la moindre réaction. Elle haussa les épaules.

— Les débats sont ouverts...

Un silence prolongé pesa. Puis Junior Carlyle se leva et s'éclaircit la gorge.

— Vous avez prévu, je crois, des changements dans l'équipe médicale dirigeante...

Il se tourna vers Wilkerson qui demeurait impassible.

— Pas du tout! s'empressa d'assurer Laura.

Ce fut de nouveau le silence. De toute évidence, Junior ne savait comment s'y prendre pour retourner la situation.

« Il a tous les atouts en main! » se dit Wilkerson avec agacement. « Qu'attend-il? »

Il ne pouvait malheureusement pas le conseiller tout haut. Résigné, il attendit la suite des événements.

Constance se redressa.

— Je suggère que nous élisions un nouveau président du conseil d'administration.

Elle pouffa.

— Moi, je vote pour Junior!

Laura la fixait d'un air dur. Mais Constance ne se laissa pas démonter.

— Junior Carlyle, président du conseil d'administration du Boston Harbour Hospital! proclama-t-elle. Youpi! Vous voyez, c'est aussi simple que cela!

Elle s'inclina ironiquement.

— Vous voilà déboulonnée de votre siège, madame la présidente qui s'y croyait installée pour la vie!

Laura Carlyle ne se départit pas de son calme.

— Je crois que vous allez un peu vite en besogne!

— Vous trouvez?

Constance haussa les épaules.

— Il vous faut des votes en bonne et due forme? Facile...

Et, se rengorgeant:

— Nous avons la majorité!

Laura ne la regardait plus. C'était à Wilkerson qu'elle donnait maintenant toute son attention.

— Que vous ont-ils offert, Ernest? Le poste de Brian, peut-être?

Horriblement mal à l'aise, Wilkerson se détourna.

— Junior Carlyle vous a-t-il fait part de ses intentions concernant l'hôpital? poursuivit Laura, impitoyable. Dès qu'il aura réussi à mettre la main dessus, il le vendra à un promoteur immobilier. Car tout le monde ici est au courant de cette ridicule légende de trésor enfoui dans le City Hall ou dans notre hôpital ! Et tout le monde semble y croire ! Le Boston Harbour Hospital sera détruit et à sa place s'élèvera une résidence de grand standing, quand vous aurez découvert le trésor du Prince Ravic ! Mais vous ne serez plus rien, Ernest ! Ni grand patron du service chirurgie, ni administrateur... ni propriétaire d'un fabuleux trésor ! Car pour cela, il faut d'abord avoir une âme pure et noble !

Lentement, Wilkerson se tourna vers Carlyle. Il commençait à comprendre la machination, Carlyle voulait racheter l'hôpital pour le détruire et découvrir un trésor qui y serait enfoui ! Quelle folie !

— Est-ce vrai ? Vous voulez démolir l'hôpital ? Le rire aigu de Constance résonna.

— Evidemment ! Nous n'avons rien à faire de ces vieilles baraques ! Sinon en tirer de l'argent !

— Mais taisez-vous donc ! s'exclama Junior. Vous allez tout faire rater !

— Pas du tout ! Le Dr Wilkerson sait où réside son intérêt. 5 % de cinquante millions de dollars, cela représente une fortune ! Et je ne parle pas du trésor...

— Hélas non, coupa Laura. Car ces 5 % n'appartiennent pas en propre au Dr Wilkerson. Si l'hôpital est vendu, il ne touchera pas un sou.

Le chirurgien tremblait de rage contenue. Il apostropha Junior Carlyle avec violence :

— Espèce de salaud ! Vous avez essayé de me berner ! J'y vois clair dans votre jeu maintenant ! En me berçant de promesses mensongères, vous vouliez obtenir mon vote... Et après cela, je me retrouvais sans rien ! Carlyle, vous êtes un... un...

La colère l'étouffait. Laura se leva.

— Un peu de tenue, Ernest, je vous en prie ! Une motion a été déposée par Mme Constance Carlyle... M.Junior Carlyle président du conseil d'administration ? Je vote contre. Mes voix représentent 41 %... Et en vertu du pouvoir que m'a confié le Dr MacClintock, je vote également contre, pour 5 % des voix.

La voix de Wilkerson s'éleva.

— Disposez aussi de mes 5 % pour voter contre cette motion ! Vous atteignez ainsi la majorité...

Constance eut un cri de dépit. Elle se leva brusquement et, sans un mot, quitta la salle.

Jenny Corban fit son entrée au bar du Wilshire à l'heure dite. Roberta Hecht, assise à une table du fond, l'y attendait déjà.

Vêtue d'un ensemble en shantung bleu glacier — de la couleur de ses yeux —, elle avait l'air d'une star.

« Elle cherche à m'impressionner... », se dit Jenny. « Et elle y réussit ! »

Soudain, elle se sentait bien ordinaire dans sa robe très simple en coton vert pâle.

— Je suis heureuse que vous ayez pu vous libérer, fit Roberta.

Elle souriait. Ses lèvres très maquillées découvrirent des dents parfaites.

— Que désirez-vous boire?

Jenny jeta un coup d'œil au cocktail que sirotait Roberta. Puis elle se tourna vers le serveur qui attendait sa commande.

— Euh... une eau minérale, s'il vous plaît.

— Vous surveillez votre ligne? Brian doit apprécier...

Jenny avala sa salive.

— Pourquoi avez-vous insisté pour me voir, madame Hecht?

Roberta souriait toujours.

— Vous êtes très directe, dites-moi! Cela doit plaire à Brian...

Elle hocha la tête.

— Mais chaque chose en son temps.

Là-dessus, elle se lança dans une interminable histoire au sujet de sa mère, s'arrangeant pour laisser tomber ici et là quelques noms célèbres. Elle parlait d'une voix haut perchée et ceux qui les entouraient ne tardèrent pas à prêter l'oreille.

« A quoi rime cette comédie? » se demanda Jenny, agacée. « Essaie-t-elle de me faire comprendre que je ne fais pas le poids devant elle ? »

— Ah ! Les menus… Nous commandons maintenant ? Choisissez ce qui vous fait plaisir, ma chère.

Elle la traitait comme une petite fille. Ou — pire ! —, comme une cousine de province. Jenny résista à la tentation de se cacher derrière le menu.

— Des escargots ? suggéra Roberta. Ou bien des cuisses de grenouille ? Tout cela est délicieux, à condition de ne pas penser à ce que l'on mange !

Elle éclata de rire. Jenny commençait à en avoir assez.

— Pour moi, une salade de thon, dit-elle au serveur.

Roberta leva les yeux au ciel.

— Une salade de thon ! fit-elle avec dédain.

— Madame Hecht…

— Roberta !

— Non, coupa Jenny. Jamais je ne vous appellerai par votre prénom. J'ignore ce que vous me voulez, mais si vous essayez de…

Cette fois, ce fut au tour de Roberta de l'interrompre.

— J'essaie simplement de vous dire de laisser mon mari tranquille.

Jenny devint écarlate.

— Vous vous trompez ! protesta-t-elle. Entre Brian et moi…

284

— Il vous arrive de le voir le soir, n'est-ce pas ?

— C'est arrivé une ou deux fois.

— De longues promenades en voiture au clair de lune...

Jenny se sentit brusquement piégée.

— Ces sorties n'ont rien de romantique, assura-t-elle. Nous parlons surtout de l'hôpital. Ces derniers temps, de nombreuses difficultés se sont élevées... Vous êtes au courant, forcément ! L'affaire Rafael, celle de...

— Ne me prenez pas pour une idiote, Jenny !

Roberta ouvrit son sac et en sortit une enveloppe qu'elle tendit à la jeune femme.

— Cela devrait vous intéresser...

Sans mot dire, Jenny contemplait l'enveloppe.

— Ouvrez-la donc ! s'exclama Roberta avec impatience.

Avec des doigts qui tremblaient un peu, la jeune femme s'exécuta. Elle trouva trois photos en noir et blanc, prises la nuit aux infrarouges. Des photos d'elle, dans les bras de Brian...

Le rire sarcastique de Roberta s'éleva.

— Il sait bien embrasser, n'est-ce pas ?

— Il... il n'y a jamais rien eu de plus, balbutia Jenny, horriblement gênée.

— Je vous crois, bien entendu ! ironisa Roberta. Autant que je crois au Père Noël...

Soudain très lasse, Jenny s'adossa à la banquette.

Elle n'avait même pas le courage de remettre ces infamantes photos dans leur enveloppe...

— Un moment de faiblesse, murmura-t-elle. Je vous assure, cela n'a pas été plus loin! Et cela ne se reproduira plus.

— J'en suis persuadée.

Un peu d'espoir souleva Jenny.

— Alors vous me croyez?

— Je ne suis ni idiote, ni aveugle à ce point, ma chère.

Avec mépris, elle lança:

— Ces photos sont assez parlantes! N'importe qui comprendrait ce qui se passe entre vous...

Jenny contempla ses mains crispées l'une sur l'autre.

— C'est horrible!

— Je suis bien de votre avis. Maintenant, ma chère Jenny, donnez-moi un conseil... A qui devrais-je montrer ces photos? Je n'arrive pas à me décider. A ma grand-mère? Ou bien à Brian?

Son ton se fit menaçant.

— S'il songeait à divorcer, cela lui coûterait cher, maintenant que j'ai des preuves... Or je ne tiens pas à divorcer, figurez-vous. D'autant plus que ma grand-mère serait probablement contre. Je ne veux à aucun prix m'en faire une ennemie. C'est que je tiens à mon héritage!

Jenny avait l'impression de se trouver devant

286

l'esprit du mal en personne. Quand Roberta se remit à rire, elle tressaillit.

— Que voulez-vous? interrogea-t-elle avec désespoir.

— Tout simplement vous souhaiter bon voyage.

— Bon voyage? répéta Jenny sans comprendre.

— Mais oui. Vous allez quitter votre poste au Boston Harbour Hospital. Aujourd'hui même! Et partir! Pas question de rester à Boston, ma chère!

— Partir? Mais pour... pour aller où?

— Au diable!

Roberta se pencha en avant.

— Et ne vous avisez pas de réapparaître dans la région!

Le désarroi de Jenny faisait peine à voir.

— Y a-t-il une... une autre solution? demanda-t-elle timidement.

— Non. Surtout, ne vous avisez pas de rapporter notre petite conversation à Brian. Dites-lui simplement que cet emploi est trop lourd pour vous et que vous ne vous sentez pas capable de remplir les tâches qui vous sont confiées. Ce qui est la vérité même, d'ailleurs!

— Pourquoi faites-vous cela? Vous l'aimez donc tant?

— L'amour!

Roberta eut un long éclat de rire.

— Oh, l'amour! fit-elle avec cynisme.

287

Elle haussa les épaules.

— Les grands sentiments mis à part, pas question que je laisse mon mari tourner autour d'une petite bonne femme de votre genre. Compris?

Le serveur apportait les commandes. Roberta se leva.

— Adieu, ma chère Jenny! Je vous laisse le soin de régler l'addition...

On essayait de faire absorber à Rafael un maximum de glucose et quand Hillary lui offrit un verre d'eau sucrée, il le vida d'un trait.

— Vous avez encore soif? s'étonna l'infirmière.

— Je suis littéralement desséché!

Elle lui apporta un second verre qu'il but à moitié.

— Vous vous sentez mieux maintenant?

— Un peu...

— Vous avez encore eu beaucoup de fièvre cette nuit.

— J'en ai assez de rester couché. Je peux me lever?

— Non. Je vais remonter la tête du lit. Cela vous fera du bien de changer de position.

Soudain, il se tordit de douleur.

— Encore une crampe!

Hillary s'empressa de lui masser la jambe et la douleur cessa.

288

— Leigh est meilleure pour les massages, assura Rafael.

Hillary réprima un sourire.

— Je le lui dirai. Cela lui fera plaisir.

Un pli vertical barra le front de l'acteur.

— Je n'arrive pas à la comprendre...

— Leigh? s'étonna Hillary. C'est pourtant une fille très simple et très directe. Rien de mystérieux en elle!

— Je n'arrive pas à savoir ce qu'elle pense! insista-t-il. Parfois, je m'imagine qu'elle tient à moi. Et une minute après... je ne sais plus!

— Tâchez de vous mettre à sa place. Une infirmière sans prétention se trouve soudain l'objet de mille attentions de la part de Rafael lui-même, l'inconnu célèbre qui défraie toutes les chroniques et séduit toutes les stars du cinéma...

— Je lui ai dit et redit que je n'avais rien à voir avec cette image de carton pâte! C'est une pure invention de mon imprésario et des médias!... On veut cacher mon identité... Je suis...

Mais une crampe d'une violence inouïe fit taire le jeune homme.

— Ne vous tourmentez plus! Vous aggravez votre mal... Et soyez patient avec Leigh! Laissez-la s'habituer à tout cela. Il lui faudra un certain temps pour s'apprivoiser. Surtout après le vilain tour que lui a joué votre amie!

— Quelle amie?

— Krystal Shannon.

— Ce n'est pas mon amie. Qu'a-t-elle fait?

— Leigh ne vous a rien dit?

— Non.

Hillary hocha la tête.

— Cela ne m'étonne pas.

Rafael s'agitait.

— Que s'est-il passé?

— Je ne sais pas si j'ai le droit de vous mettre au courant...

— Vous en avez déjà trop dit!

Hillary soupira.

— Après tout, peut-être vaut-il mieux que vous sachiez...

Elle lui fit part des manigances de Krystal Shannon.

— Cela a failli coûter à Leigh son emploi! termina-t-elle.

Rafael serra les poings.

— Si je tenais Shannon...

— Savez-vous pourquoi elle a agi ainsi?

— Aucune idée!

— Moi, je crois savoir... Elle est jalouse, tout simplement! La star ne veut pas que le soi-disant homme de sa vie s'intéresse à une petite infirmière de l'Iowa.

— Je ne veux plus revoir ici ces deux-là, vous m'entendez? Ni Shannon, ni Larkin!

Il s'agitait et Hillary tenta de le calmer.

— Si Leigh compte vraiment pour vous, arrangez-vous pour lui prouver qu'elle n'aura pas à jouer le même rôle que Krystal Shannon auprès de la presse... Car sa devise pourrait être celle-ci : « Pour vivre heureux, vivons cachés. »

— J'aimerais que cette devise devienne la mienne. Pour y arriver, il faut que...

Hillary l'interrompit.

— Ce qu'il faut maintenant, c'est que vous vous reposiez ! Tâchez de dormir...

La réunion du conseil d'administration se termina par un déjeuner à la tour Carlyle.

Brian, euphorique, ne cachait pas son admiration pour Laura.

— Quelle habileté ! Oh ! L'expression de Junior quand il a compris qu'il avait perdu la partie...

— Je ne le regardais pas à ce moment-là.

— La manière dont vous avez réussi à retourner Wilkerson... Extraordinaire !

Il leva sa coupe de champagne et s'étonna de voir Laura pensive.

— Vous n'êtes pas satisfaite de votre victoire ?

Elle soupira.

— Est-ce vraiment une victoire ? Wilkerson était prêt à voter pour eux. Jamais je ne le lui pardonnerai... Et nous n'avons pas éclairci cette affaire de trésor ; tant que la rumeur ne sera pas démentie, nous aurons à affronter de gros risques...

Son visage se durcit.

— Et Wilkerson reste au Boston Harbour Hospital ! Grand patron du service chirurgie...

— Il faut parfois accepter des compromis, Laura.

— Je le suppose, fit-elle sans enthousiasme. Mais je n'ai jamais aimé cela.

Elle s'efforça de sourire.

— Pour fêter la victoire, comme vous dites, venez donc dîner ce soir avec Roberta !

Brian hésita.

— Je regrette, répondit-il enfin. Mais nous sommes déjà invités.

— Quel dommage ! Vous sortez ?

Il détestait lui mentir. Mais il était maintenant pris à son propre piège.

— Oui, une réception...

— Passez une bonne soirée !

Brian ne tarda pas à prendre congé de Laura. Il regagna son bureau et appela Jenny : il avait hâte de lui faire part des derniers événements.

Mais Jenny demeurait introuvable.

— Elle est sortie un peu avant une heure et n'est pas revenue, lui apprit la secrétaire de la jeune femme.

Brian haussa les sourcils, surpris. Ce n'était pas dans les habitudes de Jenny de s'absenter ainsi...

— Vous a-t-elle dit où elle allait?

— Non, monsieur.

Bizarre... Il forma le numéro de téléphone personnel de la jeune femme. Elle décrocha immédiatement mais demeura silencieuse au bout du fil.

— Jenny?

Après un long silence, elle se décida enfin à répondre:

— Oui...

Comme sa voix semblait lointaine...

— Etes-vous malade? interrogea-t-il.

— Je... je ne me sens pas très bien.

— Voulez-vous que je vous envoie un médecin?

— Non, non! Je vais aller mieux.

— Tâchez de prendre un peu de repos... Je regrette que vous n'ayez pas assisté à la réunion du conseil d'administration! Victoire sur toute la ligne... Nous avons gagné, Jenny!

De nouveau, ce fut le silence.

— Je suis heureuse pour vous, fit-elle enfin d'une voix presque inaudible.

Il s'attendait à un minimum d'enthousiasme et sa réaction éveilla de nouveau son inquiétude.

— Vous êtes sûre de ne pas être malade?

— Mais non. Je... je dois partir maintenant. Excusez-moi, je n'ai pas le temps de bavarder davantage.

Elle raccrocha et Brian, soucieux, rappela la secrétaire de la jeune femme.

— Mlle Corban semblait-elle souffrante quand elle est partie ?

— Je n'ai rien remarqué. Pourquoi ?

— Que s'est-il passé au bureau pendant que je me trouvais en réunion ?

— Rien de spécial...

— Des visites ?

— Non.

— Des coups de téléphone ?

— Votre femme a appelé.

— Que voulait-elle ?

— C'était à Mlle Corban qu'elle voulait parler.

— Vraiment ?

— Et c'est juste après cette conversation téléphonique que Mlle Corban est partie.

12.

Le Dr MacClintock pénétra dans le bureau des infirmières du 4-A et demanda le dossier de Rafael.

Avec un soupir, il en feuilleta les pages qu'il commençait à connaître par cœur. La maladie de l'acteur représentait une énigme... Aucun symptôme particulier, à l'exception d'une fièvre élevée et de crampes répétées. On avait pratiqué tous les examens imaginables. Sans rien découvrir...

Jamais MacClintock ne s'était trouvé en présence d'un cas semblable. Il se sentait complètement impuissant. Mais avait-il le droit de laisser un homme mourir sans rien tenter?

Tout en réfléchissant, il examinait du coin de l'œil l'infirmière de garde. Ravissante... Comment s'appelait-elle? Il déchiffra son nom sur le badge: Leigh Mariner.

Ce soir, il avait rendez-vous avec Heather Llewellyn. Mais un homme avisé devait penser à l'avenir.

— Avez-vous un instant, docteur? demanda Leigh.

Il lui sourit.

— Bien sûr!

— C'est au sujet de M. Rafael. L'un de ses amis est venu le voir hier. Il est étudiant en médecine... Il a fait un rapprochement peut-être dépourvu de toute importance, mais j'ai promis de vous en parler.

— Oui?

Comme elle était jolie! Sa beauté toute en nuances n'avait rien de spectaculaire, pourtant. Mais une fois que l'on commençait à la regarder on ne pouvait plus s'en lasser...

— Les jours qui ont précédé sa maladie, Rafael... euh, M. Rafael était furieux...

— Pourquoi?

Elle hésita.

— A cause de M. Larkin et de Mlle Shannon... Mais il a parlé de « trésor » et de la cupidité de certains... Personne ne semble avoir bien compris... Il semble avoir été victime d'un enlèvement, soit pour le protéger soit pour le cacher...

— Vous lisez trop de romans d'aventure... Et alors?

296

— Rafael a longtemps parlé avec ses amis. Agacés, ils l'ont supplié d'arrêter mais il n'a rien voulu entendre. C'était un peu comme s'il cherchait à se soulager nerveusement... Ils l'ont trouvé lui-même très épuisé, ne parvenant plus à reprendre son souffle...

Elle se mordit la lèvre inférieure, soudain très rouge. Elle se sentait ridicule. Qui était-elle pour se permettre de parler ainsi au grand patron du service médecine?

— Je... je ne vous aurais rien dit si je n'avais pas promis à ce jeune homme...

Mac la fixait, les yeux agrandis, la bouche entrouverte.

— Mon Dieu! s'exclama-t-il. Mais c'est ça!

Il la saisit par la taille et l'entraîna dans une folle danse.

— C'est ça!

— Docteur, je...

Elle n'eut pas le temps d'en dire plus. Déjà, il l'avait lâchée et courait vers la chambre de Rafael.

— Venez avec moi! lança-t-il par-dessus son épaule.

Sans beaucoup de douceur, il réveilla l'acteur qui dormait profondément.

— Combien de temps a duré votre conversation avec vos amis, avant de tomber malade? interrogea-t-il.

A moitié endormi, Rafael s'étira.

— Quelle conversation?

— Juste avant que vous tombiez malade! Vous avez parlé d'un « trésor » et de ceux qui le recherchaient... Vous étiez épuisé comme un athlète au bout du rouleau.

Leigh s'efforça de lui venir en aide:

— Votre ami m'a dit que vous avez parlé pendant des heures... un peu comme dans un délire. Vous disiez que vous veniez d'échapper aux espions...

Rafael eut un petit rire.

— Ah oui! Ils n'en pouvaient plus... Je me souviens qu'ils me suppliaient d'arrêter! Ils avaient peur pour moi.

— Et vous étiez très énervé? demanda le médecin. Je dirais même bouleversé?

Rafael réfléchit pendant quelques instants.

— Oui, en effet. Mais pourquoi me parlez-vous de cela, docteur? Cela n'a rien à voir avec...

— Mon garçon, vous êtes sauvé! assura Mac-Clintock triomphalement.

Il prit le dossier des mains de Leigh et griffonna une prescription.

— A partir de maintenant, vous le traiterez au Dantrolene.

— Bien, docteur.

— Je veux que l'on pratique immédiatement une biopsie musculaire.

— Bien, docteur.

— Et rappelez-moi de téléphoner à Brian Hecht ou à Jenny Corban. Ils vont enfin pouvoir mettre un terme à toutes ces rumeurs de malédiction !

Rafael s'assit au bord de son lit.

— Vous avez enfin trouvé ce que j'ai, docteur ?

— Je crois !

MacClintock se frotta les mains.

— Vous êtes sauvé, mon garçon ! affirma-t-il.

Brian trouva Roberta chez Constance. Toutes deux avaient bu. Pour différentes raisons... Après avoir cru le succès à portée de main, Constance noyait maintenant sa déception dans le whisky. Quant à Roberta, elle célébrait son triomphe sur sa rivale.

Elles supportaient mal l'alcool. Constance avait la boisson triste et sombrait vite dans la vulgarité. Par contre, quelques verres de trop agissaient comme un stimulant sur Roberta. Elle riait trop fort, parlait trop haut et semblait terriblement surexcitée.

Brian entraîna sa femme un peu à l'écart.

— Tu as téléphoné à Jenny aujourd'hui, ai-je appris. Que lui voulais-tu ?

Elle le toisa.

— Cela ne te regarde pas, mon chéri, susurra-t-elle.

Il serra les poings. Oh ! Pourquoi avait-il épousé cette vipère, cette mégère ?

— Justement si, cela me regarde. Tu n'as pas à déranger les employés de l'hôpital...

— Elle n'est qu'une employée pour toi ? ironisa Roberta, les yeux durs.

— Tu ne vas pas t'en sortir aussi facilement ! menaça-t-il.

— Ainsi, la petite hypocrite t'a mis au courant ?

— Oui.

— Je lui avais pourtant demandé de ne rien te dire.

Soudain, il la saisit par les épaules et la secoua sans douceur.

— Où vous êtes-vous rencontrées ?

— Au Wilshire.

Elle éclata de rire.

— Je l'ai laissée payer l'addition !

Brian la lâcha, écœuré. Sur ces entrefaites, Constance les rejoignit, un verre à la main. Elle titubait. Le cheveu triste, la bouche amère, les yeux cernés, elle paraissait pour une fois plus que son âge.

— Vous, dehors ! ordonna-t-elle.

Tremblant de rage, Brian se tourna vers Roberta qui continuait à rire très fort. Il résista à l'envie de la frapper. De plus en plus écœuré, il pivota sur lui-même et s'éloigna.

— Brian! appela Roberta. Attends!

Il ne se retourna pas.

Pour la première fois, Arthur était venu retrouver Hillary chez elle. D'ordinaire, ils se rencontraient dans des motels discrets.

— Comment avez-vous réussi à vous libérer? s'étonna-t-elle.

Il se contenta de sourire en guise de réponse.

Comme son corps paraissait sombre à côté de celui d'Arthur, si blanc, si blond... Quand il l'étreignait ainsi, elle se sentait faire partie de l'univers. Leur amour lui semblait alors presque cosmique...

Une vague de volupté la submergea. Puis une autre... Et encore une autre... Arthur avait su faire d'elle une vraie femme. Dans ses bras, elle avait découvert le plaisir. Tous les autres n'avaient réussi qu'à la souiller, à lui faire du mal. Arthur avait su lui ouvrir les portes du septième ciel et lui faire oublier toutes ses mauvaises expériences.

Quelques années auparavant, il était venu se faire opérer à l'hôpital de Boston. Une opération mineure dont personne ne se souvenait. Hillary était de garde à l'étage. Et un amour insensé était né entre ces deux êtres qui, dans des circonstances normales, n'auraient jamais eu l'occasion de se rencontrer.

Arthur se souleva sur un coude et la contempla avec passion.

— Avant de vous revoir, j'ai toujours un peu peur...

— De quoi?

— De ne plus vous reconnaître... Je me dis que le temps et la séparation ont peut-être réussi à tuer notre amour.

— C'est ce que je redoute, moi aussi...

Elle plongea son regard dans le sien.

— Mais notre amour est toujours là.

— Je voudrais tant pouvoir vous offrir plus!

— Ne parlons pas de cela, je vous en prie!

— Pourtant, je...

— Je me contente de ce que vous me donnez. Je ne réclame pas plus! Je ne suis vraiment moi-même qu'avec vous...

— Ce n'est pas assez, Hillary.

— Je vous en prie! répéta-t-elle. Profitons des rares moments où nous sommes ensemble. Ne les gâchons pas en lamentations...

Il l'enlaça.

— Vous êtes si belle, Hillary! J'ai tant de chance...

Elle frémit.

— Vous devez faire face à d'innombrables difficultés pour réussir à venir me voir! Il vous faut mentir, tricher...

Il sourit.

— Je croyais que vous ne vouliez pas parler de cela!

Hillary soupira et s'obligea à chercher un autre sujet de conversation.

— Mme Carlyle m'a proposé la direction du service des soins.

— Oh! Félicitations... J'espère que vous allez accepter!

— Je le pense. Cela sera assez difficile au début. Mais je surmonterai les obstacles!

Elle nicha sa tête au creux de son épaule.

— En ce moment, je me sens capable de tenir tête au monde entier!

Doucement, il lui caressa les cheveux.

— Où en êtes-vous avec votre acteur?

Elle pinça les lèvres.

— Il mérite mieux que moi.

— Hillary!

Elle soupira.

— Maximillian Hill est un homme charmant, intelligent, plein d'attentions... Je l'aime beaucoup.

— Où en êtes-vous avec lui? insista-t-il.

— Toujours au même point. Je me réserve pour vous.

— Je ne veux pas accepter un tel sacrifice! Vous savez bien que la situation est sans espoir.

— Ce que vous m'offrez me suffit.

— Non, ce n'est pas suffisant !

— J'ai fait ma vie comme je l'entends. Je suis heureuse avec Tommy...

Elle ferma les yeux.

— Et je vous ai, de temps en temps... Je vous aime.

— Moi aussi, je vous aime.

Brian martela la porte jusqu'à ce que Jenny se décide enfin à donner signe de vie.

— Allez-vous-en ! sanglota-t-elle derrière le battant clos. Je ne peux pas vous voir.

— Si vous n'ouvrez pas, j'enfonce cette porte !

Ce ne serait pas une tâche aisée car elle semblait solide. Mais il était prêt à tout...

Enfin, Jenny se décida à faire coulisser les verrous. Elle apparut sur le seuil, vêtue de sa robe de chambre en satin. Elle avait pleuré, comme l'attestaient ses yeux rouges et gonflés.

— Tenez, fit-elle en lui tendant une feuille de papier.

C'était une lettre de démission des plus brèves. Une seule phrase, et pas de formule de politesse ni de signature.

Il la suivit dans sa chambre. Elle commençait à préparer ses bagages...

— Pourquoi ? interrogea-t-il.

Elle demeura silencieuse et il insista :

— J'ai le droit de savoir !

— Ce poste est trop dur pour moi.

— Pourquoi faites-vous vos valises ?

— Euh... je dois aller m'occuper d'une tante malade.

— Quelle tante ?

— Euh... ma tante Hazel.

— Où habite-t-elle ?

— Euh... loin d'ici.

Brian haussa les épaules.

— Que vous a-t-elle dit, Jenny ?

— Qui ?

— Ma femme. Elle vous a téléphoné au bureau et vous l'avez ensuite rencontrée au Wilshire.

En silence, Jenny commença à remplir une seconde valise.

— Vous me décevez, murmura Brian. Comment pouvez-vous vous laisser intimider aussi facilement ? Quelques menaces, et vous voilà prête à abandonner votre emploi et votre appartement ?

— Mais je vous dis que ma tante Hazel...

— Je ne crois pas à cette histoire.

Il croisa les bras.

— Tout ce qu'a pu vous raconter Roberta, c'est du bluff ! Rien d'autre. Elle ne peut pas vous atteindre, jamais je ne la laisserai vous faire du mal.

Les yeux de Jenny s'emplirent de larmes.

— Je vous ai remis ma démission, que vous faut-il de plus?

— Votre lettre n'est même pas signée!

Il en fit une boule qu'il jeta dans la corbeille à papier.

— Que vous a-t-elle dit? redemanda-t-il.

— Oh! Mon Dieu! s'écria-t-elle avec désespoir.

— Je vous aime, Jenny. Je ne veux pas vous perdre.

— Laissez-moi, balbutia-t-elle entre deux sanglots.

Le téléphone se mit à sonner.

— Vous ne répondez pas? s'étonna Brian.

— Non. Je ne veux parler à personne.

— Et si c'était votre tante Hazel?

Il décrocha.

— Allô?

— Dr MacClintock. Puis-je parler à Jenny Corban, s'il vous plaît?

— Ici Brian Hecht...

— Oh! J'ai essayé de vous joindre partout. Je croyais téléphoner à Jenny, j'ai dû me tromper de numéro...

— Non, vous êtes bien chez elle. Que se passe-t-il?

Il écouta avec attention, tout en prenant quelques notes.

— Comment écrivez-vous cela? Ah! Très bien,

merci... Mac, c'est formidable! Absolument formidable et inespéré... Oui, je suis entièrement de votre avis. A bientôt! Et encore merci!

Après avoir reposé l'écouteur sur le combiné, il se tourna vers Jenny.

— Mac MacClintock vient de diagnostiquer la maladie de Rafael! Il attend les résultats d'une biopsie musculaire pour l'annoncer officiellement. Mais il est sûr que Rafael souffre d'une...

Il consulta ses notes:

— Une hyperpyroexie maligne. Plus simplement: syndrome MH.

— Quoi?

Brian sourit.

— Tiens! Vous vous intéressez quand même à cela? Vous pensez à autre chose qu'à votre démission et à votre tante Hazel? D'après Mac, il s'agit d'une maladie très rare des muscles, caractérisée par une forte fièvre et des crampes. Elle est en général héréditaire, mais étant donné que Rafael est un enfant adopté, il a été impossible de faire des recherches génétiques. Il pense qu'une crise a pu se déclarer lors d'une tension nerveuse particulièrement vive... Or vous n'êtes pas sans savoir la situation énigmatique de Rafael Ravic, acteur, prince amazonien, agent secret... Autant de raisons de s'énerver!

— Guérira-t-il?

— Mac dit qu'il n'a été que légèrement atteint. Mais plusieurs athlètes ayant trop forcé sont morts de cette maladie sur un terrain de sport. Pour Rafael, la crise a été déclenchée par une émotion nerveuse. Mac le soigne au...

De nouveau, il jeta un coup d'œil à ses notes.

— Au Dantrolene. La meilleure thérapie, cependant, consistera à éviter à l'avenir tout exercice physique prolongé. Ainsi que les émotions! Pour un aventurier, c'est malheureux!

Son visage s'anima.

— Nous avons de quoi faire taire toutes ces rumeurs de malédiction! Songez! Il souffre de la maladie des athlètes et des gens trop émotifs. C'est presque un compliment! Il faut immédiatement prévenir la presse. Si nous nous y mettons tout de suite, la nouvelle paraîtra dans les journaux du matin.

Il la vit hésiter.

— Allons! insista-t-il. Vous pouvez bien vous occuper de cela avant de courir au chevet de votre tante Hazel!

— Entendu, décida-t-elle. Mais à une condition.

— Laquelle?

— Arrêtez de parler de ma tante Hazel! Je n'en ai pas!

— Tout le monde en a une. Tante Hazel elle-même a dans un coin de province une vieille tante Hazel...

Une demi-heure plus tard, Jenny avait rédigé le communiqué à la presse. Elle le lut par téléphone à la plupart des grands quotidiens du matin. Elle appela ensuite les agences de presse, puis la radio, et enfin la télévision.

Brian était demeuré avec elle. Pendant qu'elle travaillait, il ne cessait de l'observer.

— Ne partez pas, Jenny! supplia-t-il après qu'elle eut donné le dernier appel. J'ai besoin de vous. Et pas seulement au bureau...

Elle se mordit la lèvre inférieure, ce qui représentait chez elle un signe d'indécision.

— Restez, Jenny!

Elle tressaillit. L'espace d'un instant, elle avait oublié les photos...

— Elle peut vous faire beaucoup de mal, Brian. Elle en a les moyens.

— Non!

— Hélas, si!

— J'ai la ferme intention de divorcer et...

— Le divorce sera prononcé à son avantage. Elle s'arrangera pour vous ruiner.

— De quelles armes peut-elle disposer?

— Je ne veux pas vous le dire.

Il la prit par les épaules et plongea son regard dans le sien.

— La fuite, ce n'est pas une solution, murmura-t-il.

— Elle veut que je parte.

— Jenny, je suis prêt à parier qu'il existe une solution ! Nous trouverons le bonheur...

Elle s'abattit contre sa poitrine.

— Je voudrais tant vous croire...

Il lui prit les lèvres avec une infinie douceur. Elle frémit des pieds à la tête tandis qu'il déposait une pluie de baisers sur son visage mouillé de larmes.

Leurs lèvres se rencontrèrent de nouveau. Elle s'arqua contre lui, s'offrant tout entière. Puis, brusquement, elle retrouva ses esprits et voulut se dégager.

— Non, Brian... Non !

Il lui ferma la bouche d'un baiser. De nouveau, elle perdit la tête. Même si elle savait qu'ils avaient tort... Mais elle n'avait plus le courage de le repousser.

Les caresses de Brian se firent de plus en plus précises.

— Non, murmura-t-elle encore faiblement.

— Si, Jenny ! Si... parce que je vous aime.

— C'est pire ! Nous allons être tellement malheureux... Elle va me rendre la vie impossible ! Je...

Les lèvres de Brian se posèrent sur ses seins et elle eut un gémissement de plaisir. Le désir la brûlait comme une flamme vive.

— Brian, je vous aime...

— Vous êtes belle. Si belle...

Le désir de Brian égalait le sien. Elle s'attendait à ce que tout se passe très vite, mais il sut faire durer son plaisir, créant une fête de volupté.

Un lien indissoluble venait de se créer entre eux. Jenny devina confusément que maintenant, et quoi qu'il arrive, plus rien ne pourrait les séparer.

Heather Llewellyn attendit longtemps le retour de Mac. Pourquoi s'éternisait-il ainsi à l'hôpital ? Elle mit tout ce temps à profit pour faire le ménage et la vaisselle. Quand Mac arriva enfin, Heather regardait la télévision dans un appartement impeccable.

Elle se jeta dans ses bras, puis courut vers le petit bar.

— Je vous prépare un whisky ?

Elle se sentait très à l'aise dans ce nouveau rôle de femme au foyer. Pour Mac, elle était prête à se transformer en parfaite petite ménagère.

— Je suis si heureuse avec vous ! soupira-t-elle.

— Moi aussi, je suis heureux avec vous. Je vais avoir beaucoup de mal à vous oublier !

Elle le regarda avec des yeux agrandis. Avait-elle bien entendu ?

— Que... qu'avez-vous dit ?

— Vous êtes adorable, Heather. Un vrai trésor... Le don précieux que vous m'avez fait restera éternellement gravé dans ma mémoire.

— C'est... c'est un adieu?

Il sourit.

— Voyons, Heather! Nous aurons l'occasion de nous voir presque tous les jours à l'hôpital!

— Mais...

— Je voudrais pouvoir vous offrir plus. J'en suis même terriblement tenté... Cependant j'aurais tort. Je n'ai pas le droit de gâcher ainsi votre vie.

Elle avala sa salive.

— Mac! Je...

— Dans mon existence, il n'y a pas de place pour l'amour. Je suis marié avec le Boston Harbour Hospital. Mes malades passeront toujours avant tout.

Il soupira.

— Vous venez d'en faire l'expérience! Je pensais revenir très vite, et combien de temps m'avez-vous attendu? Souvent, il m'arrive de dormir à l'hôpital.

Il secoua la tête.

— Non, il n'y a pas de place pour l'amour dans cette existence entièrement dédiée à la médecine! répéta-t-il. Si je me laissais fléchir, je ne tarderais pas à le regretter. Car vous en auriez vite assez de m'attendre soir après soir. Vous vous fâcheriez. Nous nous disputerions. Et très vite, tout serait gâché...

Elle leva vers lui des yeux pleins de larmes.

312

— Oh, Mac! C'était merveilleux, pourtant!

— Pour moi aussi.

Il la prit par les épaules.

— Votre souvenir restera toujours dans ma mémoire.

Elle était hors d'haleine comme si elle avait couru pendant des kilomètres.

— Nous... nous pourrions nous voir de temps en temps, suggéra-t-elle.

— Ce serait pire, croyez-moi!

Elle s'essuya les yeux en reniflant.

— Oh! Mon Dieu! Mon Dieu..., fit-elle d'une voix étouffée.

Brusquement, elle s'empara de son sac et s'enfuit en courant.

Un peu avant minuit, Leigh pénétra dans la chambre de Rafael sur la pointe des pieds. Le Dr MacClintock l'avait remis sous perfusion. Au Dantrolene, cette fois... Et déjà, un mieux sensible avait été enregistré. Les crampes se faisaient moins fréquentes et la température commençait à baisser.

Leigh vérifia le goutte-à-goutte à l'aide d'une lampe électrique.

— Je ne dors pas, vous savez! lança Rafael.

— Vous devriez, dit-elle, grondante.

— Je réfléchis... Vous savez, j'aurais pu mourir!

— Oui. Mais ce n'est pas arrivé. Et maintenant, vous allez guérir.

Elle posa la main sur son front.

— Vous n'avez presque plus de fièvre...

Il la saisit par le poignet.

— Vous m'avez sauvé la vie ! Si vous n'aviez pas parlé au Dr MacClintock de cette conversation... Mais hélas, tous ces problèmes ne sont pas résolus pour autant...

— N'y pensez plus pour le moment... J'ai bien failli ne rien lui dire ! J'imaginais mal que cela puisse avoir une importance quelconque !

Il porta la main de la jeune fille à ses lèvres.

— Merci, Leigh, fit-il d'un ton pénétré.

Ecarlate, elle s'empressa de se dégager.

« Heureusement, la chambre est plongée dans l'obscurité », songea-t-elle. « Il ne peut pas voir à quel point je suis troublée... »

— Dès que je quitterai l'hôpital, je suivrai les conseils du Dr MacClintock. Une vie saine et tranquille. Du sport, bien sûr. Mais jamais en excès ! Avant toute chose, il faudra que je révèle mon secret...

Il se mit à rire.

— Exactement le genre d'existence que j'ai toujours rêvé de mener ! Et il a fallu que je tombe malade pour y arriver ! Pour me décider enfin à exorciser mon passé !

Sa voix redevint sérieuse.

— Je vais me séparer de Larkin. Qu'ai-je besoin

314

d'un imprésario? De la CIA? D'une image d'acteur? Dorénavant, je vivrai comme je l'entends, Leigh. A mon rythme, à ma guise...

— Très bien, assura-t-elle.

Elle ne trouvait rien d'autre à dire.

— Et toute cette comédie avec Krystal Shannon... Fini! Je lui en veux terriblement pour le vilain tour qu'elle vous a joué.

Leigh sursauta.

— Qui vous a mis au courant?

— Hillary.

— Elle a eu tort. Mlle Shannon est très gentille et...

— Très gentille! coupa-t-il. Elle? Vous voulez rire? C'est une garce! Rien d'autre...

— Je ne voudrais surtout pas que vous rompiez avec elle à cause de moi. Je...

— Mais il n'y a jamais rien eu entre nous! Sinon les inventions de Larkin... On a cru que j'étais en possession d'un trésor mythique qui attirait les convoitises des plus grandes nations du globe! Mais tout le monde s'est trompé, et j'ai eu tort de me prêter à leur jeu.

Leigh voulut partir mais il l'arrêta.

— Attendez, je vous en prie. J'ai autre chose à vous dire...

Un silence pesa.

— Leigh...

— Oui?

— Je crois que je suis amoureux de vous. Et vous, tenez-vous un peu à moi?

— Oui, fit-elle dans un souffle.

— Je voudrais vous épouser, Leigh. Acceptez-vous de devenir ma femme?

Elle se raidit.

— Je... je dois partir. J'ai terminé mon service et ma remplaçante doit être arrivée.

— Je viens de vous faire une demande en mariage et c'est ainsi que vous me répondez?

Elle prit une profonde inspiration.

— Jamais un homme comme vous ne sera heureux avec une femme comme moi, lança-t-elle d'un trait.

— Et pourquoi?

— Nous vivons dans des mondes tellement différents! Vous êtes un homme célèbre. Vous avez l'habitude d'être entouré, adulé... Et moi, je ne suis qu'une infirmière timide qui déteste les foules.

Elle secoua la tête.

— Non, entre nous, rien n'est possible!

— Nous vivrons cachés, je vous le promets.

— Vous êtes trop connu pour cela. Et les femmes se jettent à votre tête sans arrêt.

— Il n'y en a qu'une qui m'intéresse.

Brusquement, il s'assit dans son lit.

— Allumez! Je voudrais vous voir...

316

— J'aime autant que vous ne me voyiez pas en ce moment.

— Leigh, il y aura des difficultés, je ne l'ignore pas. Car il est hors de question que j'abandonne ma carrière. Mais je suis sincère quand je dis que je veux vivre tranquillement. J'ai besoin d'une maison paisible et ordonnée... avec des enfants! J'en ai assez des faux-semblants de Hollywood et des chasses au trésor... Je rêve de bonheurs simples et...

Laissant sa phrase en suspens, il jura entre ses dents.

— Je n'arrive pas à m'exprimer comme il faudrait!

— Oh! Si..., protesta-t-elle. C'est si beau, ce que vous dites...

— Alors?

En guise de réponse, elle se contenta de soupirer.

— Si vous m'aimez assez, tout est possible! insista-t-il.

— Je me vois mal vivant au milieu des gens que vous fréquentez, des stars et des agents secrets... Ils me mettront vite en pièces!

— Je vous ai dit que je ne voulais plus de Larkin ni de Shannon! Ni de Colonel James!

— Mais il y en a d'autres...

— Non, je suis seul dans la vie...

Elle pivota sur elle-même.

— Il faut que je m'en aille, Rafael.

— Tâchez de penser à ma proposition.

— Il me sera difficile de penser à autre chose !

13.

— J'ai demandé au Dr Kazinsky de monter prendre son petit déjeuner avec nous, déclara Laura. Mais il est en salle d'opération. Il nous rejoindra dès que possible.

Qu'avait-elle à dire à Kazinsky? Brian ne posa pas de questions : il ne tarderait pas à le savoir.

— Vous avez l'air d'excellente humeur, ce matin, lui dit encore Laura.

Après une merveilleuse nuit d'amour, quoi de surprenant?

— On se sent toujours plus léger après avoir pris une importante décision.

Elle fronça les sourcils.

— Quelle décision?

— Je préfère attendre que nous ayons terminé notre petit déjeuner pour vous en parler.

Elle reposa sa fourchette sur son assiette, délaissant des œufs brouillés pourtant appétissants.

— Je n'ai plus faim...

Brian soupira.

— Très bien.

La veille, tout en contemplant Jenny qui dormait dans ses bras, il avait longuement réfléchi. Son mariage était un échec, cela il le savait depuis longtemps déjà. A quoi bon insister? A quoi bon continuer à souffrir? Car cette situation rendait trois personnes malheureuses: Roberta, lui. Et Jenny...

La solution? Une rupture bien nette. Il quitterait l'hôpital, divorcerait, et recommencerait une nouvelle vie loin de Boston avec la femme qu'il aimait. Cette ville l'avait déjà fait suffisamment souffrir.

Brian avait assez d'expérience pour savoir que les résolutions prises pendant la nuit apparaissent souvent dans une perspective différente, une fois le matin venu. Mais le lendemain, il n'avait pas changé d'avis... Bien au contraire, il avait hâte d'agir.

Maintenant, gêné par le regard intense de Laura Carlyle, il hésitait.

— Laura..., commença-t-il.

Il se détourna. Il ne pouvait pas parler quand elle le fixait ainsi.

— Laura, le temps est venu pour moi de vous quitter, de quitter l'hôpital...

320

Un silence pesa. Il osa enfin lever les yeux vers elle. Elle semblait en état de choc.

— Je vois..., murmura-t-elle enfin. Et quelles sont les raisons qui vous ont amené à prendre une telle décision?

— Disons que j'ai besoin de changement.

— Quels sont vos projets?

— Rien de précis jusqu'à présent. Peut-être retournerai-je à New York? On m'a déjà fait plusieurs propositions. Il faut que j'étudie tout cela.

— A New York...

Au cours de ces dernières années, Laura Carlyle avait souvent prétendu avoir le cœur malade. Elle se demanda soudain si elle ne souffrait pas vraiment de troubles cardiaques. Un poids terrible pesait sur sa poitrine et elle avait peine à respirer.

— Vous emmènerez Roberta? interrogea-t-elle.

Brian s'obligea à se durcir.

— Je doute qu'elle accepte de m'accompagner. Elle et moi n'avons plus rien en commun depuis longtemps. J'ai l'intention de demander le divorce.

— Je vois, répéta Laura. Dites-moi, avez-vous d'autres surprises en réserve?

Il s'efforça de sourire.

— Je crois que cela suffit pour aujourd'hui!

— C'est bien mon avis.

Elle se leva et, très digne, très droite, quitta la pièce. Elle s'enferma dans le salon et s'adossa à la cheminée en se prenant la tête entre les mains. Elle haletait.

« Et s'il s'agissait vraiment d'une crise cardiaque ? » se demanda-t-elle encore.

Tous les symptômes étaient là. Mais après avoir dédié sa vie à la médecine, elle savait faire la distinction. Seuls ses nerfs étaient atteints. A cause du choc... Elle avait eu des alertes de ce genre au moment de la mort de son mari et de son fils.

Elle s'obligea à respirer calmement. Elle aurait voulu pleurer mais les larmes ne voulaient pas venir. Ce serait pour plus tard...

Une nouvelle fois, ses projets s'écroulaient comme un château de cartes.

— Oh! Willard, pourquoi a-t-il fallu que tu épouses cette Constance ?

Roberta restait son seul espoir. Mais sans Brian, elle ne pouvait pas compter sur Roberta. Brian représentait la clé de voûte de toute une entreprise soigneusement élaborée. Elle avait absolument besoin de lui. Surtout qu'elle devait à présent mettre au point une stratégie pour en finir avec les folles rumeurs concernant le trésor caché dans les fondations de l'hôpital! Elle avait secrètement obtenu des informations, par un ancien ami qui travaillait à la CIA. Dans les années soixante, en Amazonie, le bruit avait couru que le trésor du Prince Ravic venait d'être découvert... La légende racontait qu'un prince au casque doré et aux yeux turquoise s'emparerait du trésor inviolable de ses ancêtres — celui qui devait donner la force éternelle ! Plusieurs services de contre-espionnage du monde entier prirent la chose très au sérieux. Rafael fut retrouvé, c'était le dernier descendant de la lignée des Ravic issue d'une alliance lointaine entre un Chef inca et la fille d'un colon islandais... On ne savait plus très bien ! Mais ce dont on était certain, c'était l'existence de ce trésor. A l'époque, Rafael Marcus était en train de réussir une brillante carrière cinématographique, mais son divorce avec la fille d'Appelton l'entraîna en Bolivie. Il voulait retrouver ses origines... Mais la rumeur courut qu'Appelton lui avait dérobé le trésor... Chantage ? Et l'architecte assailli par tous les espions du monde entier devait trouver la géniale cachette dans un des piliers des fondations du City Hall ou du Boston Harbour Hospital ! Il fut très vite assassiné par quelque agent secret... C'était tout ce qu'elle savait !

Levant les yeux vers le portrait de son mari, elle retrouva un peu de ses forces.

— Que feriez-vous à ma place, Oliver ?

Déjà, elle connaissait la réponse : « Ce qui doit être fait ! »

Quand Laura avait quitté la salle à manger, Brian aurait voulu la suivre. Rosella l'en avait empêché.

— Laissez-la seule un instant. Cela vaut mieux.

Quelques instants plus tard, Laura revint, reprit sa place et, comme si de rien n'était, se remit à manger ses œufs brouillés.

Brian l'observait avec attention. Elle était toujours très pâle mais semblait avoir retrouvé sa maîtrise d'elle-même. Où puisait-elle cette force ?

« Le résultat de toute une vie d'autodiscipline », devina Brian.

D'une voix ferme, elle déclara :

— J'apprécie votre franchise, Brian. Venez dîner avec Roberta ce soir. Si vous avez d'autres projets... changez-les !

Il soupira.

— Je comprends que ma décision vous ait bouleversée. Mais il n'y a rien à faire ! Ce mariage est raté. Ni Roberta, ni moi ne sommes heureux. Dans ces conditions, il vaut mieux...

Elle l'interrompit.

— J'insiste pour que vous veniez tous les deux ce soir !

Il ne chercha pas à protester davantage. Laura était la présidente du Boston Harbour Hospital. Et son amie...

— Très bien.

Après avoir jeté un coup d'œil à sa montre, il se leva.

— Elle doit encore dormir. Puis-je l'appeler d'ici ?

— Naturellement. Allez donc dans le bureau, vous y serez tranquille.

Roberta venait de se réveiller. De mauvaise humeur, comme toujours quand elle avait trop bu la veille. Elle ne se pardonnait pas d'avoir si mal reçu Brian quand il était venu la trouver chez sa mère. Aussi son appel la surprit heureusement...

— Oh, Brian! Je suis si contente de t'entendre! Je m'en veux pour hier soir, tu sais... Je n'étais pas moi-même.

— Au contraire! Tu étais tout à fait toi-même, assura-t-il, glacial.

— Brian, si j'ai agi ainsi, c'était parce qu'il le fallait. Pour toi, pour moi, pour nous...

— C'est désormais sans importance. Si je te téléphone, c'est pour te transmettre une invitation à dîner à la tour Carlyle. Ta grand-mère tient à nous avoir ce soir.

— Pourquoi?

— Elle désire nous parler.

— A quel sujet?

— Je viens de lui apprendre mon intention de quitter le Boston Harbour Hospital.

Elle s'assit brusquement dans le lit, étreignant l'écouteur entre des mains tremblantes.

— Tu... tu veux quitter l'hôpital?

— Et toi aussi, Roberta.

Elle avala sa salive. Mille pensées se disputaient dans son esprit enfiévré mais elle ne trouvait rien à dire.

— A ce soir, Roberta.

— Non, attends! supplia-t-elle. Je ne veux pas que tu partes!

— Ma décision est prise. Ecoute, je n'ai pas le temps de parler maintenant. Nous discuterons de tout cela plus tard.

— C'est elle qui doit s'en aller! Pas toi! s'écria Roberta avec désespoir.

— Je t'ai dit que nous discuterons de tout cela plus tard.

La voix de Roberta se fit déchirante.

— Tu vas partir avec elle, n'est-ce pas?

Un lourd silence s'instaura.

— La façon dont j'organiserai ma vie à partir de maintenant ne regarde que moi.

Avec mépris, il ajouta:

— Ne t'inquiète pas! Je m'arrangerai pour que tu reçoives une large pension. N'est-ce pas tout ce qui t'intéresse?

Elle porta la main à son front douloureux.

— Je... je ne veux pas divorcer, Brian! sanglota-t-elle.

Et, dans un cri:

— Je t'aime!

— Un peu tard pour de telles déclarations!

— Je refuserai le divorce! Tu n'as aucune raison pour le demander.

— Nous verrons. Ecoute, ta grand-mère veut que nous passions la soirée avec elle. Tâchons au moins de nous conduire comme des gens bien élevés et évitons les scènes! Je serai pris toute la journée. Passe me prendre au bureau à sept heures.

Là-dessus il raccrocha. Roberta contempla l'écouteur avec des yeux pleins de désarroi. Puis elle le reposa sur le combiné et se leva. Jamais elle ne s'était sentie aussi épuisée de sa vie... Que lui arrivait-il donc? Pourquoi ne ressentait-elle aucune colère? Seulement une immense lassitude...

— Quel gâchis! fit-elle à voix haute.

Le téléphone se remit à sonner. Elle s'empressa de prendre la communication, espérant que Brian, saisi de remords, la rappelait...

Elle frissonna en reconnaissant la voix de Cassie Borden.

— Oh! Je n'en ai pas encore fait assez? soupira-t-elle.

Elle écouta son interlocutrice, tout en secouant la tête d'un air désespéré.

— Je ne sais pas si je pourrai... J'essaierai, je vous le promets. Mais je vous en prie, cela ne peut pas continuer! Il faut que ce soit la dernière fois...

Les sourcils froncés, elle écouta attentivement son interlocutrice.

— Oui, je connais ce restaurant.

C'était l'un des préférés de Brian.

— Entendu, assura-t-elle. J'y serai à l'heure dite !

Elle se jeta sur son lit et, d'un air morne, contempla le plafond.

— Mon Dieu ! Quel gâchis…, répéta-t-elle.

« Séduite et abandonnée ! », songea Heather Llewellyn, se moquant d'elle-même.

Elle aurait dû en vouloir terriblement à Mac. Mais elle en était incapable… Dans ses bras, elle avait vécu les plus merveilleux instants de sa vie de femme. Pouvait-on se fâcher contre l'homme à qui l'on devait de telles révélations ?

Ginger Rodgers l'observait de loin.

— Pauvre petite !

— Oui, soupira Amy Wells. Découvrir le paradis, puis retomber brusquement sur terre… C'est dur !

— Nous en sommes toutes passées par là.

Heather s'approchait sans méfiance du petit groupe d'infirmières.

— Tu as l'air déprimée, ce matin ! lança Ginger.

— Un peu.

— Bienvenue au club des ex-de-Mac !

Heather sursauta.

— Mais…

Un éclat de rire général lui répondit. Un éclat de rire dans lequel il y avait un peu d'amertume, un peu d'ironie... et beaucoup de regrets.

— Dans mon existence, il n'y a pas de place pour l'amour : je suis marié avec le Boston Harbour Hospital ! déclara Amy en prenant un air vertueux.

— Je vais avoir beaucoup de mal à vous oublier, ajouta une autre. Vous êtes adorable ! Un vrai trésor...

— Je me souviendrai toujours de vous, renchérit une troisième.

— Le don précieux que vous m'avez fait restera éternellement gravé dans ma mémoire !

Avec stupeur, Heather rejeta ses cheveux en arrière.

— Vous voulez dire que...

— Si cela peut te consoler, tu n'es pas la seule à avoir succombé au charme du beau Mac MacClintock.

— Bienvenue au club...

Après avoir revêtu une veste blanche impeccable, Léon Kazinsky monta à la tour Carlyle où Laura et Brian l'atttendaient toujours.

— Comment s'est passée l'opération ? interrogea Laura.

— Bien, je crois.

Elle lui posa plusieurs questions et, visiblement

impressionné par son savoir, il lui répondit avec un maximum de précisions.

— Docteur Kazinsky, je vous ai fait venir pour parler avec vous de l'avenir du Boston Harbour Hospital. L'hôpital vit en ce moment une période de transition...

Elle se tourna vers Brian.

— Oh! A propos... Hillary George m'a téléphoné ce matin. Elle accepte la direction du service des soins.

Elle vit le Dr Kazinsky hausser les sourcils.

— Cette nomination vous surprend? demanda-t-elle.

— Un peu.

— Vous la désapprouvez?

Il réfléchit pendant quelques instants.

— Elle travaille en médecine, pas en chirurgie. Je ne la connais pas très bien.

— Moi, je la connais! assura Laura. Je sais ce que je fais en lui confiant ce poste!

— J'en suis persuadé.

— Docteur Kazinsky, vous laissez-vous éblouir par les titres?

— Pas du tout.

— J'ai cherché à obtenir la démission du Dr Wilkerson. En vain... J'aurais voulu vous confier son poste mais je me rends compte que c'est impossible pour l'instant.

330

Elle sourit.

— J'ai cependant trouvé le moyen de contourner la difficulté! Docteur Kazinsky, à partir de maintenant, vous avez le titre de directeur du département chirurgie. Vous serez désormais entièrement responsable de l'ensemble de ce service et vous aurez toute l'autorité nécessaire pour diriger le personnel à votre guise.

— Mais... Et le Dr Wilkerson?

— Il reste grand patron du service chirurgie. Nous redéfinirons ses tâches... Mais je vous assure qu'il n'aura pas le pouvoir de modifier les décisions que vous prendrez. Hiérarchiquement, vous serez son supérieur.

— Je... je ne sais que dire, balbutia Kazinsky.

Laura sourit.

— Dites-moi tout simplement que vous acceptez ma proposition!

Jenny n'avait aucun regret. Cependant elle voulait toujours partir. Malgré ce qui s'était passé. Et peut-être à cause de cela... Car elle ne voulait pas endosser la responsabilité du divorce de Brian, pas plus que celle de son départ du Boston Harbour Hospital.

Elle termina donc ses valises avec une tranquille détermination. Puis elle se rendit à l'hôpital à l'heure habituelle. Elle avait deux ou trois dossiers en cours à régler. Et il lui faudrait présenter sa démission au chef du personnel. Aucune explication n'était nécessaire. Moins elle en dirait, mieux cela vaudrait.

Dès son arrivée, elle se trouva submergée de coups de téléphone. Les journalistes réclamaient à cor et à cri des nouvelles de Rafael. La plupart n'avaient jamais entendu parler du syndrome MH et demandaient des informations supplémentaires. Comment avait-on diagnostiqué cette maladie? L'acteur sortirait-il bientôt de l'hôpital? Puisqu'il allait mieux, les visites étaient-elles autorisées? Et les photos? Et toujours la même question: saurait-on enfin la vérité sur le mystère de Rafael?

Les questions concernant Miles Hathaway étaient également nombreuses car le metteur en scène avait assuré à l'un de ses proches qu'il terminerait son film dans les délais prévus.

Brian apparut en coup de vent.

— Pouvez-vous venir un instant dans mon bureau, Jenny, s'il vous plaît?

— Tout de suite.

Après avoir chargé sa secrétaire de prendre les messages, elle le rejoignit. Fermant la porte derrière elle, il voulut la prendre dans ses bras. Mais, devinant ses intentions, elle avait reculé de quelques pas.

— Non!

Il la regardait avec un grand sourire. Un sourire qui semblait tellement déplacé à la jeune femme...

— Comment allez-vous? demanda-t-il enfin.

— Très bien.

Elle prit une profonde inspiration.

— Mais rien n'a changé.

Le sourire de Brian s'agrandit encore.

— Pour moi, si. J'ai annoncé à Laura mon intention de partir. Et à Roberta aussi...

Elle se mordit la lèvre inférieure.

— Oh! Pourquoi avez-vous fait cela?

— Vous le savez bien!

— Comment l'ont-elles pris?

— Mal. Mais cela m'est égal.

Il s'étira.

— Aujourd'hui commence le premier jour de ma nouvelle vie!

Elle secoua la tête.

— J'ai à vous parler sérieusement, Brian.

— Savez-vous que Laura est en train de bouleverser toutes les structures de l'hôpital? Elle vient de nommer Hillary à la direction du service des soins. Quant à Kazinsky, il devient le directeur du département chirurgie.

— Et Wilkerson?

— Il garde son poste. Mais Kazinsky passe au-dessus de lui... Laura Carlyle veut qu'il s'en aille et je suis sûr qu'elle parviendra à ses fins.

— Probablement. Elle est très dure, au fond.

— Disons qu'elle sait ce qu'elle veut.

Il enveloppa la jeune femme du regard.

— Vous êtes venue... travailler?

— Je veux laisser mon bureau en ordre, dire au revoir à tout le monde...

Elle le fixa droit dans les yeux.

— Et vous parler sérieusement, Brian! répéta-t-elle.

— Cela peut attendre l'heure du déjeuner, non? Retrouvons-nous au Shallot. C'est un restaurant végétarien qui se trouve...

— Je le connais.

— A midi et demi?

— Entendu.

Elle soupira.

— Entre-temps, je pourrai toujours m'occuper des journalistes. Ils ne cessent de téléphoner pour demander des nouvelles de Rafael et de Miles Hathaway.

Elle retourna à son bureau et téléphona au 4-A afin d'obtenir le dernier bulletin de santé concernant Rafael. Ce dernier récupérait à une allure stupéfiante et il était question de le laisser sortir dans les quarante-huit heures.

Elle appela directement Rafael et lui apprit que la presse réclamait des photos et des précisions sur son histoire.

334

— Vous pouvez convoquer les reporters. Je suis maintenant pratiquement guéri et pourrai les accueillir devant le portail, suggéra-t-il. Ainsi, ils me verront debout et en pleine forme. Et cela vous évitera d'avoir la meute à l'intérieur des murs...

— Bonne idée! Avec qui voulez-vous que j'organise cela? M.Larkin?

— M.Larkin n'est plus mon imprésario. Je suis navré de vous donner ce travail supplémentaire, mais il faudra que vous traitiez directement avec la presse. Je viens de couper toute relation avec le sinistre Colonel James et toute sa clique!

— Voulez-vous que je prévienne Krystal Shannon? ne put s'empêcher de demander Jenny, taquine.

— Surtout pas! s'exclama-t-il. Je ne veux plus la voir, elle non plus! Elle fait partie de toute une machination sordide visant à me faire dire où se trouvait le trésor de la Dynastie des Ravic!

Jenny, impressionnée, se rendit ensuite au 3-M. Elle trouva Miles Hathaway au lit, un scénario entre les mains.

Après s'être présentée, elle déclara:

— La presse voudrait connaître vos projets, monsieur. Avez-vous un communiqué à me transmettre à l'intention des journalistes?

Il la regarda à travers ses lunettes en demi-lune, sous ses épais sourcils en désordre.

— Dites-leur que Miles Hathaway termine toujours ce qu'il a commencé.

— Vous allez donc reprendre le tournage ?

— Le plus rapidement possible. J'ai déjà perdu assez de temps !

Il réfléchit un instant.

— Dites-leur que je serai au travail lundi ! Ce lundi, martela-t-il.

L'émotion submergea brusquement Jenny. Soudain, elle avait mille choses à dire à ce vieil homme. Au sujet de la vie, des êtres, de ceux qui tenaient à lui, de ses responsabilités... Mais elle n'avait pas le droit de lui parler ainsi. Aussi, elle se tut.

Mais on aurait cru qu'il avait deviné ses pensées.

— Permettez-moi de vous donner un conseil...

— Oui ? fit-elle, soudain pleine d'attente, pleine d'espoir.

— Décidez de l'ordre de vos priorités dans la vie. Dites-vous, c'est ceci que je veux. Ou bien cela. Et arrangez-vous pour l'obtenir.

Elle hocha la tête, les larmes aux yeux. Puis elle fit demi-tour et s'éloigna à pas lents. Arrivée sur le seuil, elle se retourna.

— J'ai beaucoup aimé vos films, monsieur. Merci !

Il sourit chaleureusement.

— C'est agréable d'entendre un compliment pareil !

On aurait cru que c'était la première fois qu'il en recevait un.

Jenny referma très doucement la porte de Miles Hathaway. Juste au moment où la femme de Brian quittait le bureau des infirmières. Roberta se dirigea vers les ascenseurs et disparut. Elle ne s'était pas retournée, heureusement ! Jenny ne tenait pas spécialement à une confrontation...

Surprise, elle alla interroger l'infirmière de garde. Cette dernière rangeait un dossier.

— Que désirait Mme Hecht ? s'étonna Jenny.

— Oh ! Elle voulait simplement consulter le dossier de M. Hathaway. Elle en a le droit, n'est-ce pas ? C'est la femme du directeur général...

Lorsque Kazinsky regagna son bureau, il était encore en état de choc. Directeur du département chirurgie ! Et il passait au-dessus de Wilkerson qui n'était toujours pas revenu de cette histoire de trésor caché dans l'hôpital et des projets de démolition !

Laura Carlyle lui avait demandé d'agir ? Eh bien, il allait agir... Car ce département avait bien besoin d'être réorganisé. Wilkerson avait laissé une confortable routine s'établir, confiant les meilleurs postes à ses protégés. Tout cela devait être changé !

S'emparant de la liste des chirurgiens et internes, Kazinsky se mit en devoir de faire valser attributions et responsabilités.

On frappa.

— Entrez!

Un peintre apparut.

— Docteur Kazinsky?

— C'est moi.

— Cela s'écrit comment? Avec un *i* ou un *y* à la fin?

— Un *y*. Pourquoi?

— Je suis chargé de refaire les panneaux des portes.

A peine le peintre était-il parti que la secrétaire blonde de Wilkerson vint trouver à son tour le nouveau responsable du service.

Elle s'éclaircit la gorge.

— M. Hecht m'a dit que j'étais désormais votre secrétaire..., fit-elle, visiblement mal à l'aise.

Kazinsky sourit.

— Très bien.

Il lui tendit le nouveau tableau des tours de garde.

— Voulez-vous taper cela, s'il vous plaît?

Elle lut la première ligne et sursauta.

— Léon Kazinsky, directeur du département chirurgie...

— Exactement.

Ernest Wilkerson arracha le tableau des mains de sa secrétaire.

— Mais qu'est-ce que cela signifie ? Directeur du département chirurgie... Cela ne veut rien dire du tout !

Son visage était devenu rouge brique. Il parcourut les lignes, réalisant immédiatement la signification des changements décidés par Kazinsky.

— Jamais ! Pas question ! Mais que se passe-t-il ici ! Appelez-moi tout de suite la tour Carlyle !

Il eut Rosella en ligne.

— Je regrette, docteur, mais Mme Carlyle est en réunion avec son avocat. Elle ne veut être dérangée sous aucun prétexte.

— Je veux la voir ! tempêta Wilkerson. Immédiatement !

— Elle n'a pas le temps de vous recevoir et a demandé que vous vous adressiez à M.Hecht.

Fou de rage, Wilkerson courut jusque chez Brian. Il jeta sur le bureau de ce dernier le tableau révisé par Kazinsky.

— J'aimerais avoir des explications !

Brian demeurait très calme.

— Le Dr Kazinsky a réorganisé le département, comme vous pouvez le constater.

— Le Dr Kazinsky ! Mais il ne dispose d'aucune autorité ! Il...

— Je suis navré de ne pas avoir eu le temps de vous faire part des changements apportés par Mme Carlyle. Le Dr Léon Kazinsky est désormais directeur du département chirurgie.

— Et moi?

— Vous demeurez grand patron du service chirurgie, naturellement.

— Mais s'il y a un directeur du département, mon poste ne correspond plus à rien! tempêta Wilkerson. Si vous croyez que cela va se passer ainsi!

Brian ouvrit les mains.

— De quoi vous plaignez-vous? Vous gardez votre titre, votre bureau, votre salaire... Vous n'avez plus le ressort nécessaire pour diriger seul ce grand service. Et n'oubliez pas que vous vous êtes fait déjà gruger...

— Ah! Vous vous croyez forts, tous les deux! Mais je n'ai pas dit mon dernier mot!

Très rouge cinq minutes auparavant, Wilkerson était devenu maintenant très pâle.

— Je vais porter cette affaire devant le conseil d'administration!

— N'oubliez pas que Mme Carlyle en est la présidente.

Wilkerson jura.

— Vous essayez de me mettre dehors! Pas question. Je n'ai aucune intention de vous donner ma démission. Je me battrai jusqu'au bout.

Brian haussa les épaules.

— Comme vous voulez.

La voix de Wilkerson monta.

— Oui, je me battrai jusqu'au bout! Et vous pouvez aller raconter à Laura Carlyle qu'elle regrettera ce qu'elle vient de faire! Je dispose toujours de 5 % des actions. Et j'ai bien l'intention de voter contre elle lors de la prochaine réunion du conseil! Même s'il faut pour cela accepter que l'on démolisse l'hôpital! Ah! Elle ne l'emportera pas au paradis!

Brian soupira.

— Je suis navré que vous preniez cela si mal...

— Vous vous attendiez à ce que j'accepte cette mise à pied déguisée avec le sourire?

Il le menaça du doigt.

— Si vous croyez que je vais me mettre aux ordres de Kazinsky, vous vous trompez!

Brian se leva.

— Vous êtes bouleversé et je le comprends. Mais avec le temps, je suis persuadé que vous comprendrez que nous avons agi pour le mieux et...

— Je vous en prie, épargnez votre salive!

Hugh Lampton, avec stupeur, relut le nouveau tableau que l'on venait de communiquer à tous les médecins attachés au Boston Harbour Hospital.

Ainsi, le Dr Kazinsky allait remplacer en fonction, sinon en titre, le Dr Wilkerson?

— Et moi, on me charge de l'ablation chirurgicale des varices! s'exclama-t-il.

Cela représentait un travail de patience et très peu de gloire...

Furieux, Hugh Lampton décrocha le téléphone et forma le numéro de Symington et Ness. Il n'avait pas encore donné sa réponse, mais maintenant il était bien décidé à accepter le poste qu'on lui avait récemment offert dans cette clinique privée à la réputation assez douteuse.

14.

Jenny arriva la première au Shallot. C'était le restaurant végétarien à la mode. L'on pouvait dîner dehors, sous des arbres fruitiers, mais toutes les tables se trouvaient déjà prises et Jenny dut suivre le maître d'hôtel à l'intérieur. Là, il n'y avait pas encore grand monde.

« Cet endroit est idéal pour discuter sans être dérangé », se dit la jeune femme.

Des treillis en bois naturel ornés de plantes vertes exubérantes séparaient en effet les tables les unes des autres.

De sa place, Jenny pouvait surveiller l'entrée. Tout en attendant Brian et en récapitulant ce qu'elle avait à lui dire, elle sirotait le jus de raisin qu'une serveuse venait de lui apporter.

Une voix de femme parvint jusqu'à elle. Elle la

reconnut immédiatement... La malchance voulait que Roberta Hecht soit venue elle aussi au Shallot aujourd'hui! Elle se trouvait à seulement quelques centimètres de Jenny, de l'autre côté du treillis, en compagnie d'une autre femme.

— Je vous ai déjà aidée pour Rafael! Ce n'est pas assez?

— Non.

— Vous ne vous rendez pas compte de ce que vous me demandez!

Un rire méprisant s'éleva.

— Ma chère, si vous refusez de coopérer, je n'hésiterai pas à publier ce que je sais au sujet de votre petite aventure avec Dawes Banning.

— Ce sera bientôt une vieille histoire qui n'intéressera plus personne.

— Je ne suis pas de votre avis. Les échos de ce genre trouvent toujours des amateurs. Dites-moi vite ce que vous avez appris au sujet de Miles Hathaway.

Roberta soupira longuement.

— S'il quitte l'hôpital, et c'est son intention, son cœur ne le supportera pas. Il refuse de se laisser opérer et c'est pourtant la seule solution: son aorte est presque entièrement obturée...

— Il est au courant?

— Oui. Mais il ne veut rien entendre et proclame son intention de recommencer à tourner.

— Au mépris de la mort, il ne songe qu'à terminer son film! Merveilleux! Je vais tirer de cela un article palpitant... Merci, madame Hecht! Merci... Et maintenant, je me sauve. A bientôt!

La respiration coupée, Jenny vit Cassie Borden se diriger d'un pas vif vers la sortie. Trente secondes plus tard, ce fut au tour de Roberta... Elle semblait beaucoup moins pressée. Elle marchait sans hâte, tout en regardant autour d'elle. Soudain, elle aperçut Jenny et s'immobilisa.

— Vous avez entendu? interrogea-t-elle d'une voix blanche.

Jenny, encore sous le choc, fut incapable de répondre. Roberta tourna les talons et disparut.

Ainsi, c'était elle qui était à l'origine des fuites! Elle donnait toutes ces informations confidentielles à Cassie Borden! La journaliste avait trouvé le moyen d'exercer un répugnant chantage sur la femme du directeur général de l'hôpital! Qui était donc Dawes Banning?

— Vous êtes toute pâle! On dirait que vous venez d'apercevoir un fantôme...

Jenny sursauta. Elle n'avait pas vu Brian entrer.

— Un fantôme? murmura-t-elle. Peut-être...

Il s'assit en face d'elle.

— Racontez!

Elle secoua négativement la tête. Elle ne voulait pas révéler maintenant ce qu'elle venait d'apprendre.

— Comment Wilkerson a-t-il pris la nomination d'un directeur du département chirurgie? interrogea-t-elle.

— J'ai cru qu'il allait avoir une attaque! Il a fait irruption dans mon bureau comme une bombe...

En quelques mots, il lui décrivit la réaction de Wilkerson. Jenny fronça les sourcils.

— En agissant ainsi, Mme Carlyle s'est fait un terrible ennemi...

— Un ennemi implacable. Oh! Je suis entièrement de votre avis.

Il haussa les épaules.

— Mais elle ne voulait plus de Wilkerson à la tête du service chirurgie.

Après un silence, il ajouta:

— Quant à moi, je lui ai annoncé mon prochain départ.

— Vous n'avez pas vraiment envie de partir.

— Il n'existe pas d'autre solution si je veux divorcer.

Jenny pinça les lèvres.

— Mais Roberta acceptera-t-elle le divorce? demanda-t-elle.

— Je m'attends à des difficultés.

Il prit les mains de la jeune femme dans les siennes.

— Deux solutions s'offrent à nous.

— Dites...

346

— Ou bien je garde mon poste à l'hôpital. Dans ce cas, il serait préférable que vous quittiez Boston. Je ne veux pas que ma femme vous traîne dans la boue. Une fois que j'aurai obtenu le divorce, vous reviendrez et nous nous marierons.

— C'est une demande en mariage ?

— Mais oui.

Jenny essaya de s'imaginer devenant la femme du directeur général du Boston Harbour Hospital. Il lui faudrait affronter l'hostilité de Laura Carlyle et la haine de Roberta. Impossible...

— Quelle est la seconde solution ?

— Nous partons tous les deux et commençons une nouvelle vie... ailleurs.

Pensive, elle but quelques gorgées de son jus de raisin.

— Je vois une troisième solution, déclara-t-elle enfin. La rupture...

— Entre vous et moi ? Vous parlez sérieusement ?

Elle fit tourner son verre entre ses doigts.

— Non..., répondit-elle enfin.

Un soupir gonfla sa poitrine.

— Il existe aussi une quatrième solution, le statu quo.

— C'est-à-dire ?

— Vous continuez à vivre comme avant. Tout en ayant une sordide liaison avec moi...

— *Sordide*..., releva-t-il. Je n'aime pas cet adjectif.

— Moi non plus. Mais dans ce cas, il me semble parfaitement adapté. Et rien n'est plus comme avant, tout se passe comme si cette incroyable histoire de trésor inca caché en plein Boston avait métamorphosé tout notre petit monde...

De nouveau, elle soupira.

— Ce matin, Brian, j'étais bien décidée à m'en aller et à vous laisser libre du choix à faire, sans vous influencer en aucune manière.

— Auriez-vous changé d'avis ? Par la magie de la légende Ravic !

— Le hasard m'a mis entre les mains une arme que je ne sais encore comment utiliser.

Il haussa les sourcils.

— Soyez plus précise ! Comment osez-vous faire des mystères après tous ceux que nous venons de vivre !

— Je préfère ne pas vous mettre au courant maintenant. J'ai besoin de réfléchir...

Rafael se tenait sur les marches de l'hôpital. Il souriait, le bras levé dans un geste de victoire.

Une foule de reporters et de photographes l'entourait. Et les questions pleuvaient... Il y répondit de bonne grâce. Oui, il se sentait maintenant en pleine forme et attendait qu'on lui donne l'autorisation de quitter l'hôpital, ce qui ne saurait tarder.

Il se tourna vers les caméras. Le regard bleu étincelait, et le soleil illuminait sa chevelure dorée. Il prit la décision de dévoiler son secret :

— Je suis le dernier descendant de la lignée princière inca des Ravic... Je ne l'ai appris que fort tard, j'étais déjà marié et je débutais à Hollywood... Un vieux savant venait de m'écrire en me confiant ses recherches et ses plans. Selon lui, le trésor Ravic existait bel et bien et comme le prédisait la légende, il devait donner un pouvoir inimaginable à celui qui s'en emparerait. J'ai voulu prendre contact avec lui... mais j'appris qu'il venait de mourir dans un mystérieux accident d'automobile ! Sa bonne me confia ses derniers papiers, il y avait inscrit d'une main fébrile sur un papier de journal arraché : *aller Boston... Attention City Hall — voir Appelton*. Vous imaginez ma surprise ! Car j'étais marié à la fille de l'architecte Appelton ! Tout s'est passé très vite à partir de mon divorce... J'ai décidé de me mettre à la recherche de mes origines et de ce fameux trésor. Appelton m'a menacé, il m'a dérobé cartes et informations et il a certainement retrouvé le trésor...

— Mais, monsieur Ravic, vous n'en savez donc rien ? Où se trouve à présent le trésor ?

— Patientez un peu, messieurs ! Le trésor du

Prince Ravic se trouve effectivement dans un pilier soit du City Hall de Boston, soit de cet hôpital où nous nous trouvons.

Un immense frisson parcourut l'assemblée.

— Mais je dois vous dire que le trésor en question, dont la légende raconte qu'il confère force et puissance infinies, n'est pas ce que vous espérez tous! Il s'agit d'un très vieux parchemin inca sur lequel sont inscrits des signes et des dessins indiquant les préceptes de la sagesse universelle qui donne le pouvoir sur le monde entier. Elle tient en deux mots: Amour et Vérité.

Pendant un long moment, personne n'osa rompre le silence presque religieux qui s'était instauré. Toutes ces rivalités pour deux mots éternels! Et tout le monde avait rêvé de joyaux, d'armes diaboliques, d'or et de diamants... Les services secrets du monde entier qui depuis des années cherchaient à percer le mystère de la légende! Puis Rafael Ravic reprit lentement.

— Devant vous, je fais le serment de respecter le trésor de sagesse de mes ancêtres. Le vieux savant, avant de mourir, avait aussi eu le temps de noter qu'il avait déchiffré l'énigme de la légende Ravic. J'ai donc toujours su ce qu'était ce trésor, mais j'ai eu à me battre contre de nombreuses personnes influentes qui voulaient mon secret, croyant pouvoir alors détenir une arme absolue... Et Boston est devenue la ville de tous les mystères, sans le savoir. J'ai ordonné à la direction de l'hôpital de ne pas rechercher le trésor. Tout le monde saura, maintenant, que dans le ciment des fondations du Boston Harbour Hospital, ou dans celles du City Hall, se trouve un petit coffret d'or qui contient deux hiéroglyphes incas signifiant Amour et Vérité ! Et je veux vous dire à présent que je dois la vie à une infirmière, Leigh Mariner, et au Dr Mac MacClintock, le responsable du service médecine au Boston Harbour Hospital. C'est Leigh Mariner qui a détecté les symptômes du syndrome MH, et c'est le Dr MacClintock qui l'a diagnostiqué. Cette maladie très rare atteint surtout les jeunes athlètes après des efforts trop poussés, ou les personnes émotives, et j'ai l'intention de créer une fondation afin d'aider à la recherche…

— Comment éviter une éventuelle rechute ? demanda un journaliste.

— Tout simplement en menant désormais une vie simple et équilibrée. En suivant le précepte de mes pères !

Il sourit.

— Allez-vous enfin épouser Krystal Shannon ?

— Certainement pas ! Krystal Shannon et moi n'étions réunis que sur les ordres de la CIA… pour détourner l'attention et faire croire à ma nouvelle carrière cinématographique !

Des exclamations surprises se firent entendre, puis les questions reprirent de plus belle.

— Ecoutez, je viens de vous donner une nouvelle de taille! s'exclama Rafael. Ne m'en demandez pas plus pour l'instant!

Sans cesser de sourire, il agita la main et, à reculons, regagna l'hôpital dont les portes se refermèrent sur lui.

Mac MacClintock étudiait le dossier d'un malade récemment hospitalisé. Il présentait tous les symtômes d'une cirrhose mais le traitement classique ne donnait aucun résultat. Par ailleurs, cet homme n'avait jamais fait d'excès de boisson et suivait un régime des plus sains.

— Bizarre..., grommela-t-il.

Il releva la tête et sursauta en voyant Heather Llewellyn à la porte de son bureau.

— Je voudrais vous parler, Mac...

Il fronça les sourcils. Avec Heather, c'était terminé. Oh! Cela avait été très agréable, mais rien n'était éternel dans la vie. Il fallait savoir mettre un terme aux aventures.

Maintenant, il considérait Heather avec amitié. Rien de plus. Sensuellement, elle le laissait désormais froid.

— Entrez..., fit-il sans enthousiasme.

Elle pénétra dans le bureau, suivie par deux géants qui roulaient des épaules.

— C'est lui ? interrogea le premier.

D'une main, le second saisit Mac par les revers de sa blouse et, sans le moindre effort apparent, l'éleva à la hauteur de ses yeux, tout en le menaçant du poing. Un poing énorme...

— Oh ! Je vous en supplie, ne lui faites pas de mal !

— Toi, ne te mêle pas de cette histoire, Heather ! Cet homme va recevoir la correction qu'il mérite !

Les dents de Mac s'entrechoquèrent, tandis que le géant le secouait sans douceur.

— On va t'apprendre à respecter notre petite sœur !

— Je... je ne savais pas que... que c'était votre sœur, bredouilla Mac, visiblement terrifié.

— Maintenant, tu le sais !

— Et quand un homme touche à notre sœur, il lui reste une alternative : ou l'épouser, ou se retrouver les os en miettes !

Jamais le séduisant Dr MacClintock n'avait été terrorisé à ce point.

— Alors, que préfères-tu ? Etre dans le plâtre des pieds à la tête ou passer la bague au doigt d'Heather ?

Mac adressa un coup d'œil désespéré à la jeune fille. Mais elle lui tournait le dos et ses épaules étaient secouées de sanglots.

— Alors?

Le poing énorme n'était plus qu'à quelques centimètres de son nez.

— Je... je l'épouserai, coassa-t-il.

L'homme le lâcha brusquement et il s'abattit sur le sol. A ce moment-là, la porte s'ouvrit et Ginger Rodgers apparut.

— Mac! s'écria-t-elle. Mais que vous arrive-t-il donc?

Derrière elle se pressait tout un groupe d'infirmières. Et les éclats de rire fusaient. Même Heather, qu'il croyait en larmes, était toute secouée d'hilarité. Le regard de Mac allait de l'une à l'autre. Toutes avaient eu droit à ses attentions... Toutes! Et peu à peu, ses yeux se dessillèrent.

— C'est une... une vengeance? balbutia-t-il.

— Tout juste!

Il passa la main sur son front d'un air égaré.

— Seigneur!

Les deux géants riaient, eux aussi. Puis, l'un après l'autre, ils lui serrèrent la main, au risque de lui écraser les phalanges. Ces brutes n'avaient pas conscience de leur force!

— Vous n'êtes pas les... les frères d'Heather?

— Non, expliqua Ginger. Ce sont des amis... Des acteurs!

Elle se remit à rire.

— Je vois que notre innocente plaisanterie a eu tout le succès voulu!

— Comme innocente plaisanterie ! soupira Mac.

— Vous avez eu vraiment peur ?

— J'étais absolument terrifié !

Il se releva enfin, l'air penaud.

— Après cela, je n'oserai plus jamais regarder une femme de ma vie !

Un éclat de rire général répondit. Un éclat de rire incrédule...

Il fallait s'habiller pour dîner chez Laura. Brian et Roberta connaissaient les règles... Tous deux, sur leur trente et un, empruntèrent l'ascenseur menant à la tour Carlyle.

Brian avait revêtu le smoking qu'il gardait dans l'un des placards de son bureau pour parer à toute éventualité. Quant à Roberta, elle portait une longue robe en soie bleue fendue très haut sur le côté et largement décolletée. A son cou étincelait la rivière de diamants que sa grand-mère lui avait offerte à Noël.

Elle était splendide. Mais Brian voyait maintenant au-delà des apparences...

Très digne dans sa robe de velours noir, Laura les accueillit chaleureusement. Pour une fois, Rosella, invitée à l'extérieur, ne faisait pas partie du décor.

Deux serveurs en veste blanche montèrent un dîner des plus raffinés, spécialement élaboré par l'un des meilleurs chefs internationaux dans les cuisines de l'hôpital.

Ce fut seulement au moment du café que Laura Carlyle se décida à aborder le sujet qui lui tenait à cœur.

— Brian m'a annoncé ce matin son intention de quitter l'hôpital. Es-tu au courant, Roberta?

— Oui.

— Et quelle est ta réaction?

Elle baissa le front d'un air obstiné.

— Je ne veux pas divorcer.

Laura hocha la tête.

— Je te comprends!

Elle se tourna vers Brian.

— Et moi, je ne veux pas que vous partiez! Le Boston Harbour Hospital a besoin de vous. Vous êtes irremplaçable.

Il demeura silencieux. Il avait dit ce qu'il avait à dire. Des protestations ne serviraient à rien maintenant.

— J'ai eu cet après-midi un entretien avec mon avocat au sujet de mon testament, poursuivit Laura.

Roberta se pencha en avant, les yeux étincelants, l'oreille tendue.

— Ton grand-père m'a laissé une grosse fortune que des placements judicieux m'ont permis d'agrandir encore. Mais c'est pour l'hôpital que je m'inquiète. Je ne voudrais pas qu'il tombe entre les mains de gens comme Junior... Moi vivante, cela

356

ne se produira pas. Et après moi, je tiens à ce que le Boston Harbour Hospital survive… Et il en est assuré à présent depuis les révélations de Rafael Ravic! Notre hôpital est un temple moderne au service de l'Amour et de la Vérité! Qui voudrait détruire cela?

— Tu vivras très longtemps, assura Roberta.

— Je l'espère aussi. Mon vœu le plus cher est de faire sauter mes petits-enfants sur mes genoux. Mais il faut savoir prévoir l'avenir. Voilà pourquoi j'ai modifié mon testament… Après ma mort, tout ce que je possède ira à vous deux!

Les larmes aux yeux, Roberta courut embrasser sa grand-mère.

— C'est trop! Je ne mérite pas tant!

Un peu écœuré par cette comédie, Brian se détourna. Sans regarder Laura, il interrogea d'un ton sec:

— Qu'y a-t-il encore dans ce testament?

— Voyons, Brian! protesta Roberta. Ma grand-mère décide de nous laisser toute sa fortune et c'est ainsi que tu réagis? Tu devrais la remercier…

— J'aimerais d'abord savoir ce que contient exactement ce testament.

Cette fois, il fixa Laura dans les yeux. Elle soutint son regard.

— Je veux que vous restiez, Brian. Je vous fais totalement confiance pour diriger le Boston Harbour Hospital. Je veux aussi que vous soyez heureux avec Roberta.

Elle tapota la main de sa petite-fille.

— Si vous quittez votre poste de directeur général, ou bien dans le cas d'un divorce, tout ce que je possède ira à des œuvres de charité.

Un sourire de triomphe vint aux lèvres de Roberta.

— Oh! Grand-mère...

— Je crois avoir agi pour le mieux, conclut Laura.

Brian termina son cognac d'un trait et se leva.

— J'étais prêt à rester. Mais pas dans ces conditions! Je n'aime pas qu'on me force la main... Votre argent me laisse totalement indifférent, Laura. Si vous vous imaginez que je vais continuer à gâcher ma vie auprès de Roberta, vous vous trompez! Laissez-lui donc votre fortune, c'est tout ce qui l'intéresse! Moi, je suis capable de gagner ma vie.

Les yeux de Laura s'emplirent de larmes.

— Brian, je vous considère comme mon fils! Je ne veux pas vous perdre, j'ai besoin de vous! Dites-moi ce que je dois faire pour vous garder!

— Ce testament plein de pièges n'est certainement pas le bon moyen! On ne me manipule pas ainsi. Je ne suis pas un Wilkerson! Si vous persistez dans vos projets, tout votre argent ira à une œuvre de charité...

— Tu es fou! s'écria Roberta.

Elle tapa du pied.

— Ecoute-moi bien! Je...

— Toi, coupa-t-il, si tu ne veux pas que ta grand-mère découvre ton véritable caractère, tu ferais mieux de te taire!

Laura s'interposa.

— Je vous en prie! Pas de scènes ici.

Brian hocha la tête.

— Vous avez raison. Ce serait très déplacé...

Il s'inclina.

— Merci pour cet excellent dîner... Et bonsoir!

Là-dessus, il tourna les talons et disparut.

Oui, elle était libre ce soir. Oui, elle adorait le base-ball...

Rafael adressa à Leigh le plus irrésistible de ses sourires.

— Alors venez voir ce match avec moi!

Sans hésiter davantage, elle accepta l'invitation.

Mais comment allait-elle s'habiller? Les sourcils froncés, elle contemplait le contenu de sa garde-robe.

— Oh! Ne sois pas aussi sotte, ma fille! s'écria-t-elle tout haut. Après tout, il s'agit seulement d'un match de base-ball!

Elle enfila un pantalon blanc, un tee-shirt rose et des sandales. Puis elle noua ses cheveux en queue de cheval à l'aide d'un ruban rose.

Rafael vint la chercher à l'heure dite et elle éclata de rire.

— Vous êtes méconnaissable !

— C'est le but de l'opération. Je n'ai aucune envie d'être assiégé par des fans.

Il portait un jean, des bottes mexicaines et une chemise à carreaux. Mais ce qui amusait surtout Leigh, c'était sa perruque sombre, sa fausse moustache et ses lunettes noires. Il y avait peu de chances pour que les spectateurs fassent le rapprochement entre l'acteur aux boucles blondes dont on voyait partout la photo et ce cow-boy de pacotille !

Ce fut seulement après le match, dans sa voiture aux vitres teintées, que Rafael se débarrassa de sa perruque, de sa moustache et de ses lunettes.

— J'aimerais maintenant vous montrer ma maison...

Elle s'attendait à une telle proposition et s'était promis de refuser. Au lieu de cela, elle s'entendit répondre avec enthousiasme :

— Cela me ferait plaisir de la voir !

« Je suis folle ! » songea-t-elle. « Pourquoi ai-je dit cela ? »

Mais il était trop tard pour refuser... Il l'emmena sur les hauteurs de Boston, où il possédait une villa meublée de manière très simple. On était loin du décorum affecté par certaines vedettes de l'écran !

Leigh se sentit tout de suite à l'aise, surtout dans le grand living confortable décoré d'œuvres d'art de l'artisanat bolivien et de précieuses copies de bijoux incas. Des rayonnages surchargés de livres, de profonds fauteuils, une cheminée... Il devait faire bon vivre dans cette pièce.

— Ici, je me sens moi-même, déclara-t-il.

Elle avala sa salive, soudain troublée.

— Cette pièce vous ressemble, murmura-t-elle.

Il l'enlaça. Elle se laissa aller contre sa solide poitrine et lui tendit ses lèvres. Leur baiser, d'abord très tendre, se fit de plus en plus passionné. Frémissante de désir, Leigh s'abandonnait...

Le premier, Rafael retrouva ses esprits.

— Nous ne sommes pas raisonnables!

Elle le regarda avec stupeur.

— Mais...

— Je ne veux pas d'une brève aventure, Leigh.

D'une main qui tremblait un peu, elle remit un peu d'ordre dans sa chevelure.

— C'est... frustrant.

— Pour moi aussi.

— Alors...

— Je ne crois pas que vous soyez prête à vous engager.

Brusquement, il changea de sujet de conversation.

— Nous avons passé une bonne soirée ensemble, n'est-ce pas? interrogea-t-il.

— Oh oui!

Elle sourit.

— J'ai trouvé votre déguisement très drôle!

— Vous voyez que nous pouvons sortir sans être importunés!

— C'est vrai, admit-elle.

Son sourire disparut.

— Je vous ai vu à la télévision. Vous avez parlé de moi...

— Pas dans les termes que je souhaitais. Je n'ai rien voulu précipiter.

— Vous avez bien fait.

— Leigh...

— Oui?

— Quels sont vos sentiments à mon égard?

Elle soupira.

— Nous avons passé une bonne soirée... J'ai eu l'impression que vous étiez vous-même. Le Rafael que j'aime. Mais il existe un autre Rafael. L'acteur mystérieux, le *sex-symbol* entouré de fans et de photographes, l'aventurier... le prince inca! Celui-là, je ne le connais pas. Et j'avoue qu'il me fait peur.

— C'est pourtant toujours le même.

— Les gens de votre entourage m'effraient. Krystal Shannon, par exemple... ou l'abominable Colonel James!

— Ils n'existent plus pour moi, ce sont des fantômes... Vous serez la reine de la fête que je ferai en l'honneur de mes pères et de leur souvenir. Tout le monde se demandera où j'ai trouvé une aussi jolie princesse... Alors, c'est oui?

Elle secoua la tête.

— Laissez-moi réfléchir... Je vous donnerai ma réponse demain.

Il la ramena chez elle et, avant de la quitter, déposa une pluie de baisers sur son ravissant visage.

Comment parvenir à trouver le sommeil après une semblable soirée? Très énervée, Leigh allait et venait dans son petit appartement. Obéissant à une impulsion soudaine, elle forma le numéro d'Hillary. Cette dernière répondit aussitôt.

— Je te réveille? s'inquiéta Leigh.

— Non. Je n'arrivais pas à dormir...

— Moi non plus. Félicitations pour ta promotion, Hillary! Je suis si contente!

— Merci. Mais pourquoi me téléphones-tu à une heure pareille?

La jeune fille soupira.

— J'ai besoin d'un conseil...

Hillary devina immédiatement.

— Pour Rafael?

— Tout juste... J'ai été voir un match de base-ball avec lui.

— Et?

— Et je ne sais que penser, Hillary! Par moments, j'ai l'impression de le connaître. Puis il redevient l'acteur ou le mystérieux aventurier... et je me trouve devant un inconnu.

— Il faut apprendre à vivre après les légendes, sans les oublier, mais en accueillant la réalité. Amour et Vérité, souviens-toi!

— Je ne sais quelle décision prendre... Rafael veut m'emmener demain à une fête avant de rompre définitivement avec le mileu du cinéma et des célébrités... J'aurai l'occasion de voir toute la haute société de Boston et de nombreuses vedettes... et, selon lui, de constater qu'il s'agit de gens comme les autres.

— Bonne idée! Si c'est sérieux entre Rafael et toi, il faudra bien que tu fasses la connaissance de son passé...

— J'ai peur, Hillary. Je ne saurai pas comment m'habiller, ni comment me tenir, ni que dire...

— Sois tout simplement toi-même. Allons, Leigh, un peu de courage!

— Facile à dire...

— Tu crois qu'il ne m'a pas fallu du courage pour accepter le poste que j'occupe depuis aujourd'hui?

— Si, bien sûr.

— Alors, à ton tour de montrer un peu d'énergie.

— Comment?

— Accepte l'invitation de Rafael.

Leigh ne la voyait pas, mais elle eut l'impression qu'elle souriait.

— Et profite de l'occasion pour t'offrir une jolie robe! ajouta Hillary.

— Tu crois?

— Il faut que tu sois à ton avantage, voyons!

— Oui..., fit la jeune fille sans beaucoup d'enthousiasme.

Hillary éclata de rire.

— Allons, un sourire! La vie est belle! Avec Amour et Vérité!

15.

La sonnerie du téléphone réveilla Jenny en sursaut. Elle jeta un coup d'œil. Il était exactement huit heures vingt-deux. Qui pouvait l'appeler si tôt?

Elle décrocha et sursauta en reconnaissant la voix de Laura Carlyle.

— Je ne vous réveille pas, j'espère?

— Mais non, pas du tout, prétendit la jeune femme.

— Avez-vous enfin découvert la source de toutes ces fuites?

Jenny prit une profonde inspiration.

— Justement, oui.

— Parfait! Je n'ignore pas que nous sommes samedi. Puis-je cependant vous demander de venir à la tour Carlyle? J'aimerais parler de tout cela avec vous.

— Euh... très bien. Je peux être là-bas dans...

De nouveau, elle consulta le réveil.

— Dans une heure? Cela vous convient-il?

— Je vous attends.

Songeuse, Jenny raccrocha. Brian la regarda d'un air interrogateur.

— C'était Laura?

— Oui. Elle veut que j'aille la voir.

— Pourquoi?

Jenny ne savait pas encore comment elle utiliserait l'arme que le hasard lui avait mise entre les mains.

— Elle ne l'a pas dit.

Après une nuit blanche, Roberta décida d'aller trouver sa grand-mère et de tenter de lui faire entendre raison.

— Que me vaut cette visite matinale, ma chérie? s'étonna Laura.

— Grand-mère, je suis venue te demander de me laisser toute ta fortune.

— Mais c'est bien mon intention!

— Nous n'avons pas besoin de Brian.

Laura eut un demi-sourire.

— Mais si, nous avons besoin de lui, au contraire!

Roberta haussa les épaules avec impatience.

— Je peux prendre sa place et diriger l'hôpital! Après tout, cela ne doit pas être spécialement difficile... Il suffit qu'on me mette au courant.

Le sourire de Laura Carlyle se fit condescendant.

— Tu en serais certainement capable, assura-t-elle.

On aurait cru qu'elle parlait à un enfant...

— Tu te débrouillerais très bien, j'en suis persuadée. Mais en attendant que tu aies la compétence voulue pour mener une affaire de cette importance, il faut que Brian en garde les rênes. Comprends-tu?

Roberta eut un geste rageur.

— Oh! s'écria-t-elle avec colère. Je...

— Mon petit, tu es trop coléreuse et trop impulsive. Je crains que tu n'aies hérité des défauts de ta mère.

— Vraiment, grand-mère! Tout cela n'a rien à voir avec...

— Par moments, j'ai du mal à te comprendre, Roberta. Je sais que tu aimes ton mari. Dans ce cas, pourquoi lui faire de telles scènes? Tu dis que tu t'intéresses à l'hôpital. Mais quand ton oncle a voulu en prendre le contrôle, tu ne m'as pas parlé de ses intentions, alors que tu étais au courant.

La vieille dame secoua la tête en soupirant.

— Non, je ne te comprends pas!

— Mais je ne...

Laura l'interrompit.

— Ne mens pas, Roberta. Tu savais tout des manigances de Junior et de ta mère.

Elle haussa les épaules.

— Cela n'a plus d'importance maintenant. Tout s'est arrangé... Si je cite cet exemple, c'est pour te démontrer à quel point ton comportement semble incohérent.

Roberta crispa les poings.

— Je...

Après avoir frappé un coup léger à la porte, Rosella apparut.

— Jenny Corban, annonça-t-elle.

Roberta se raidit, pétrifiée par la peur plus que par la colère en voyant entrer la maîtresse de son mari.

— Merci d'être venue, fit Laura avec chaleur. Vous connaissez ma petite-fille Roberta?

— Mais oui.

Jenny adressa un signe de tête distant à la femme de Brian. Cette dernière, très pâle, regardait autour d'elle avec affolement. On aurait cru un animal traqué.

Sans rien paraître remarquer, Laura Carlyle fit asseoir Jenny.

— Je m'en voudrais de vous retenir trop longtemps. Surtout un samedi! Aussi, allons droit à l'essentiel. Vous avez donc découvert la source des fuites ?

Jenny hocha affirmativement la tête.

— Quel soulagement ! s'exclama Laura. L'écho paru ce matin au sujet de Miles Hathaway dans la colonne de Cassie Borden était particulièrement fielleux. Mais qui peut donner de telles informations à cette femme ?

— Je le sais maintenant.

Le regard de Jenny se posa sur Roberta Hecht qui semblait se décomposer d'instant en instant.

— Oui, je le sais, reprit la jeune femme. La première information est venue de Krystal Shannon. Elle a téléphoné à Cassie Borden afin de lui apprendre l'hospitalisation de Rafael, espérant ainsi se faire un peu de publicité.

— Mais les autres informations ? Celles concernant Rafael et aussi Miles Hathaway ?

— Elles proviennent d'une autre source. C'est une personne ayant accès aux dossiers médicaux qui a commis ces... euh, ces indélicatesses. Je vais m'arranger pour qu'il lui soit dorénavant impossible de les consulter.

— Pourquoi cette... personne renseignait-elle ainsi Cassie Borden ?

— Parce que celle-ci avait trouvé le moyen d'exercer sur elle un chantage.

— Qui est-ce ?

— Je préfère ne pas citer de nom.

De nouveau, son regard se posa sur Roberta. Laura Carlyle porta la main à sa gorge. Soudain, ses joues parcheminées n'avaient plus de couleur.

— Cependant, reprit Jenny d'un ton ferme, si de telles indiscrétions devaient se reproduire, je serais alors obligée d'identifier formellement cette personne.

Laura Carlyle se leva. Elle qui se tenait d'ordinaire toujours très droite voûtait les épaules. En quelques minutes, elle semblait avoir vieilli de dix ans.

Avec un petit cri étranglé, Roberta fila comme une flèche vers la porte. L'instant d'après, elle avait disparu.

— Je vous remercie de votre discrétion, mademoiselle Corban, fit Laura Carlyle avec effort. Je ne veux pas vous faire perdre davantage de temps...

Jenny la salua et, escortée par Rosella qui avait assisté à la conversation sans y prendre part, sortit à son tour.

Elle avait gagné. Désormais, tout était possible ! Elle avait réussi à triompher de son ennemie. Le bonheur était à portée de main.

Leigh avait dû laisser toutes ses économies chez le coiffeur. Atterrée, Hillary contemplait le résultat...

Soigneusement bouclés, les cheveux de la jeune fille se dressaient sur le sommet de sa tête à grand renfort de laque autour d'une espèce d'aigrette étincelante.

Et le maquillage! Une couche de fond de teint épaisse d'au moins un centimètre, des faux cils, du blush, et toutes les couleurs de l'arc-en-ciel autour des yeux...

— C'est toi qui t'es maquillée? demanda Hillary.

— Oh non! Je suis allée à l'institut de beauté. D'un air déconfit, Leigh ajouta:

— Et depuis, je n'ose plus sourire!

— Je comprends...

Hillary secoua la tête.

— Mon Dieu! soupira-t-elle. Et cette robe...

C'était un fourreau noir tout pailleté d'argent fendu très haut sur la cuisse. Un drapé noir et blanc tombait de l'autre côté. Deux espèces de coques, tenant lieu de soutien-gorge, découvraient largement les seins de la jeune fille.

— Un chef-d'œuvre de mauvais goût, murmura Hillary.

— Que dis-tu? s'inquiéta Leigh.

Et comme Hillary ne répondait pas, elle lui adressa un coup d'œil implorant.

— Sois franche, je t'en prie! Dis-moi ce qui te choque dans ma tenue...

— Tout.

— Oh! s'exclama Leigh avec désespoir.

— Tu n'es plus toi-même! martela Hillary. Cette robe, ce maquillage, cette coiffure... Tout est affreux! Sais-tu de quoi tu as l'air en ce moment? D'une copie bon marché de Krystal Shannon. En cent fois plus vulgaire... Si tu crois que c'est ce que cherche Rafael!

Des larmes vinrent aux yeux de la jeune fille. Elle ouvrit les mains dans un geste d'impuissance.

— Je ne m'aime pas ainsi, avoua-t-elle. Mais que puis-je faire maintenant?

Hillary consulta sa montre.

— De combien de temps disposons-nous?

— Je ne sais pas.

— Eh bien, nous prendrons le temps qu'il faudra!

— Mais si Rafael arrive...

— Il attendra.

D'un geste plein de détermination, Hillary ouvrit la fermeture à glissière du fourreau.

— Déshabille-toi, va prendre une douche, fais-toi un shampooing et frictionne-toi vigoureusement le visage. Je ne veux plus voir une trace de fond de teint ni de laque! Entendu?

— Mais je n'ai rien d'autre à me mettre! protesta Leigh.

— Ne t'inquiète pas, nous trouverons bien une

374

solution. Je vais jeter un coup d'œil à ta garde-robe...

Elle sourit.

— Surtout, coiffe-toi comme d'habitude!

Leigh alla s'enfermer dans la salle de bains et Hillary contempla sans enthousiasme le contenu du placard. Il n'y avait là que des tenues de tous les jours. Pas une seule robe de cocktail, pas un seul ensemble habillé...

« Et je ne peux rien lui prêter: je suis beaucoup plus grande qu'elle », songea-t-elle. « Voyons, à qui pourrions-nous emprunter une robe en catastrophe? »

Leigh, enveloppée dans un peignoir de bain, la rejoignit à ce moment-là.

— Alors?

— Qu'y a-t-il dans ce sac?

— Des vêtements que je ne porte plus.

— C'est notre dernier espoir...

Avec une grimace peu enthousiaste, Hillary en sortit d'abord une robe rose vif toute volantée. Elle découvrit ensuite une longue jupe noire en étamine de laine.

— Joli...

— C'est moi qui l'ai faite à l'époque où je prenais des cours de couture. Le tissu avait coûté très cher!

— Essaie-la donc!

Leigh s'exécuta tout en protestant.

— Je ne peux pas aller à une réception mondaine en portant une jupe que j'ai coupée moi-même!

— Pourquoi pas? Personne ne le saura.

Hillary recula de quelques pas et hocha la tête.

— Parfait! Maintenant, il faut trouver un chemisier...

Leigh ouvrit un tiroir de sa commode.

— Que penses-tu de cela? Un cadeau de papa... Je n'ai pas encore eu l'occasion de le porter.

Il s'agissait d'un haut en brocart blanc, sans manches et à encolure carrée, assez court pour laisser apparaître quelques centimètres de peau dorée à la taille.

— Parfait! répéta Hillary. Maintenant, as-tu des sandales blanches? Non, noires, plutôt...

Quelques instants plus tard, Leigh virevoltait devant la glace avec un sourire radieux.

— Bravo! s'exclama Hillary. Voici un ensemble simple, élégant et distingué... Tu as de la classe, mademoiselle Mariner! Maintenant il ne te reste plus qu'à te maquiller légèrement.

— Comme d'habitude?

— Un peu plus que d'habitude, si tu veux. Après tout, il s'agit d'une réception au City Hall! Rafael doit inaugurer une plaque à la mémoire de ses ancêtres incas, avec les deux mots magiques:

Amour et Vérité. Boston est encore toute boule-versée de ses dernières révélations. Quel roman!

Leigh s'exécuta. Hillary la regarda faire en souriant.

— Je te retrouve enfin!

Elle eut un frisson.

— Cette poupée trop fardée n'était qu'une caricature!

Un peu d'anxiété passa dans les yeux de Leigh.

— Je ne me sens guère rassurée, avoua-t-elle. Que vais-je dire, une fois là-bas?

— Contente-toi de sourire si tu n'as pas envie de parler. Tu sais, la plupart des gens font en général les questions et les réponses.

— Je resterai dans mon coin.

— Ne sois pas aussi timide! Sois toi-même, tout simplement!

Leigh sourit.

— J'ai tort de me faire du souci. Personne ne fera attention à moi!

— A part Rafael! Il t'aime, Leigh. Tu verras qu'il te suivra comme une ombre pendant toute la soirée.

Très élégant dans un smoking parfaitement coupé, l'acteur-aventurier ne tarda pas à arriver. Il enveloppa Leigh d'un regard étincelant et Hillary comprit alors que ses efforts étaient couronnés de succès.

Rafael prit la jeune fille par la taille.

— Vous êtes si jolie, ma princesse...

Il déposa un léger baiser sur ses lèvres. Discrètement, Hillary s'était éloignée. L'étreinte de Rafael se resserra.

— Nous deux, c'est pour la vie, murmura-t-il d'un ton pénétré.

— Pour la vie, avec Amour et Vérité !

Ce fut sa réponse au Prince d'Amazonie, casque d'or et regard turquoise ! Touristes, si vous passez à Boston, n'oubliez pas cette histoire d'amour entre la petite infirmière de l'Iowa et le descendant princier des Incas d'Amazonie ! Mais surtout n'oubliez pas de visiter le City Hall. Vous rencontrerez quelques *Golden Boys* affairés, peut-être aussi les médecins du Boston Harbour Hospital... Et ayez une pensée émue pour le secret du Prince Ravic scellé dans le béton de ce momunent ultramoderne !

Composé par Eurocomposition, Sèvres
Achevé d'imprimer en octobre 1988
sur les presses de l'Imprimerie Bussière
à Saint-Amand-Montrond (Cher)
pour le compte des éditions Harlequin

N° d'imprimeur : 5904 — N° d'éditeur : 2241
Dépôt légal : novembre 1988

Imprimé en France